D0715528

Les fantômes de la Pointe-Platon

Le Noroît souffle où il veut, en partie grâce aux subventions de la Société de développement des entreprises culturelles du Québec et du Conseil des Arts du Canada.

Les Éditions du Noroît bénéficient également de l'appui du Programme de crédit d'impôt pour l'édition de livres du gouvernement du Québec (gestion SODEC).

Conception graphique : Normand Poiré
Photographies : Normand Poiré
Bibliothèque et Archives nationales du Québec
Bibliothèque du Congrès

Dépôt légal : 4ᵉ trimestre 2008
Bibliothèque nationale du Québec
Bibliothèque nationale du Canada
ISBN : 978-2-89018-632-3

Catalogage avant publication de Bibliothèque et Archives nationales du Québec et Bibliothèque et Archives Canada

Lamontagne, Marie-Andrée. 1958-
  Les fantômes de la Pointe-Platon
  (Lieu dit)
  Comprend des ref. bibliograp.
  ISBN :978-2-89018-632-3
  I . Titre II. Collection
PS8573.A421F36 2008 C843'.54 C2008-940142-5
PS9573.EA421F36 2008

DISTRIBUTION AU CANADA
EN LIBRAIRIE

Dimedia
539, boulevard Lebeau
Saint-Laurent (Québec)
H4N 2S4
Téléphone : (514) 336-3941
Télécopieur : (514) 331-3916
Courriel : general@dimedia.qc.ca

Éditions du Noroît
4609, rue d'Iberville, bureau 202
Montréal (Québec)
H2H 2L9
Téléphone : (514) 727-0005
Télécopieur : (514) 723-6660
Courriel : lenoroit@lenoroit.com
Site : www.lenoroit.com

DISTRIBUTION EN EUROPE

D.N.M (Librairie du Québec)
30, rue Gay-Lussac
75005 Paris
Téléphone : 01 43 54 49 02
Télécopieur : 01 43 54 39 15
Courriel : liquebec@noos.fr

Imprimé au Québec, Canada

Marie-Andrée Lamontagne

Les fantômes
de la Pointe-Platon

Éditions du Noroît

> — On y va ?
> — On y va.

Alors, abandonnant la voiture sur le bas-côté de la route, nous avons dévalé le ravin qui s'offrait à nous. Était-ce un ravin ? une pente un peu raide ? un précipice ? pourquoi la mémoire devrait-elle choisir entre ces diverses possibilités quand l'imagination peut l'emporter ? La nôtre, précisément, était tout occupée à bâtir un récit d'explorateur dans lequel nous allions maintenant nous jeter têtes baissées. C'était un jeudi, en automne. Le reste du monde allait son chemin.

Les nuages moutonnant semblaient pressés d'avancer. Ils passaient, ils passaient, pourtant c'est la terre qui tournait sur son axe tout en demeurant sur son orbite – fatalité, papier à musique, tout ce qu'on voudra, mais voici que la terre tournait, tandis que nous déboulions tout en bas, vers ses merveilles. Les Anciens qui scrutent la bouche des Enfers dans une grotte de Laconie, le professeur Hardwigg qui plonge dans le cratère du Sneffels pour gagner le centre de la terre, Alice qui dégringole dans le terrier de Maître Lapin, aucun de ceux-là, vraiment, ne fut aussi perplexe que nous, déboulant.

Notre pas s'accélérait. Pour rester maîtres de la dégringolade, il fallait s'agripper aux racines qui, telles des anguilles, perçaient le sol avant d'y replonger, chercher la pierre sur laquelle prendre appui. Remonter sa pente est rassurant, alors que la suivre, sans s'y abandonner, ne va pas sans mal, voilà ce que je me disais, tout en dévalant.

— Ça va ?

La voix de l'ami me parvenait d'en bas, comme étouffée, déjà, par les broussailles, même s'il ne me précédait que de deux ou trois mètres, tout au plus. En cas de chute, je servirai de rempart, avait-il décrété un peu plus tôt, chevaleresque, en s'engageant le premier. Mon compagnon était prévenant. Nous étions bien. Je ne tombais pas. Plutôt, et tout comme lui, j'allais vers mon destin, n'ayons pas peur des mots, laissant derrière tout ce qui pouvait encore me retenir aux responsabilités, aux habitudes pernicieuses, à la nécessité : celle de gagner sa vie, de contenter le corps, de nourrir l'esprit, d'être raisonnable. Et comme j'étais légère ainsi !

Enfin, je touchai le sol avec un bruit de feuilles et de branches cassées. L'ami me tendit la main. Je la saisis. Ne pas oublier la règle : pour être significative, toute incursion dans l'inconnu doit s'accompagner de métamorphoses, comme celles qui amusaient les dieux au temps où l'esprit des hommes s'enchantait encore d'un froissement de feuilles ou d'une bouche d'ombre. Réfléchissons : en quoi avais-je été changée, tout en dégringolant ? Nymphe, ce n'était pas assez. Je serais Artémis, vierge farouche parcourant ses bois, l'arc et le carquois en bandoulière. Gare à l'impudent qui voudrait me surprendre au bain ! Artémis j'étais devenue, sans quoi je n'aurais jamais atteint le fond d'un ravin où reprendre maintenant apparence humaine. Aussi ai-je accepté la main tendue.

L'ami et moi nous sommes regardés, comme deux initiés dans la foule. Nous avons eu un rire nerveux. À quel danger avions-nous échappé ? À aucun : notre rire était celui de complices. Et il est vrai que nous nous aimions.

— Bon. Ce n'est pas tout, ça. Que fait-on maintenant ? l'ami montrait tantôt vers la droite, tantôt vers la gauche, le serpent de grève qui bordait le fleuve. Car c'était bien sur le fleuve Saint-Laurent que nous étions tombés, après avoir quitté la route, le fleuve comme une étendue qui clapotait, primordiale. Si on scrutait l'horizon, on pouvait voir le sillage laissé par le cortège de Poséidon et d'Amphitrite ayant croisé au large du Nouveau Monde, pas plus tard qu'hier, comme il convient à un dieu régnant sur toutes les mers du globe.

Ni à droite ni à gauche, nous avons marché vers le fleuve. Nos doigts ont effleuré l'eau salée et froide. Genoux ramenés sur la poitrine, assis sur la grève, nous avons pris la mesure de notre isolement. Aucune forme humaine en vue, une vie animale qui se manifestait par intermittence – cris d'oiseaux de mer, respiration muette des coques et des poissons –, vie éclipsée par la présence de blocs cyclopéens que la Terre avait recrachés sur le sable, au temps d'avant Poséidon, et oubliés là. Cette présence minérale était déroutante. L'éparpillement des blocs suggérait bien un mouvement, mais il était aussitôt arrêté par une pointe de roche, massive et stable, s'avançant dans la mer. Quelque force avait agencé une fois pour toutes les éléments du tableau, et il fallait vraiment être les fourmis que nous étions pour croire que l'ouvrage avait été laissé en plan et qu'il s'animerait un jour. Était-ce la démesure des éléments ? en face, la rive se dérobait. Au-delà du fleuve : rien. En deçà : une grève qui, se déployant à perte de vue, en réalité menait à soi. Les rochers attendaient la main du géant qui les relancerait dans une nouvelle combinatoire. Et sur tout cela un soleil indifférent, voilé par les nuages. Alors, la certitude qu'au contraire tout était achevé s'imposait peu à peu à nos consciences de fourmis. Cette conviction s'accompagnait d'un tel sentiment de plénitude qu'il n'y avait plus qu'à se laisser pétrifier, comme peut-être l'avaient été ceux qui nous avaient précédés en ces lieux et nous observaient maintenant depuis l'intérieur de la roche.

— Où sommes-nous, au juste ? — et je crois bien que je chuchotai.

Nous avions pris une route de campagne au hasard, peu de temps après avoir laissé Québec. N'était-ce pas le même hasard qui nous avait menés un jour, pleins de ferveur rousseauiste, dans le parc d'Ermenonville ? Les deux endroits se télescopèrent. Pas de chance : ce jour-là, un lundi, le parc était fermé. Notre déception avait été grande, le bon sens nous disait de rentrer à Paris, mais nous ne pouvions nous y résoudre. Nous avions fait quelques pas, admirant la rangée de peupliers qui ondulait dans le lointain, comme une promesse. C'est alors que, le plus simplement du monde, nous avions découvert une brèche dans la clôture qui prenait le relais du mur de pierre, cinquante mètres plus loin, sur la gauche. Tout était donc si simple ? Rien n'était impossible ? Nous étions entrés dans le parc. Et là, allongés sur l'herbe, nous avions sorti les provisions et pique-niqué sans façon, l'étang de Jean-Jacques sous les yeux, avec au loin ce qui avait été un temps sa tombe, à l'accès refusé mais si proche. Ce jour-là, l'esprit des lieux avait transporté jusqu'à nous des conversations, des soucis et une douceur, jusque dans la flore à nommer par le Genevois inquiet venu ici songer à sa mort. Le grand parc du marquis de Girardin finissait par se confondre avec la forêt, celle-là domestiquée, en comparaison de celle qui s'étendait jusqu'au fleuve où

nous étions maintenant. Dans la forêt d'Ermenonville, des daims, des biches, des licornes, des nymphes, des dieux sylvestres jaillissaient des fourrés pour prendre place sur les toiles, les tapisseries, dans les grottes aménagées par le marquis. À l'aube, les sangliers s'abreuvaient à l'étang du parc, civilisés eux aussi, comme chacun des habitants de la forêt. Voici la mousse des sous-bois, voici la prêle, les coquelicots, les chênes, les hêtres. *La connais-tu, Dafné, cette ancienne romance / Au pied du sycomore ou sous les lauriers blancs. / Sous l'olivier, le myrte ou les saules tremblants, / Cette chanson d'amour qui toujours recommence?...*

Tout en confidence, l'ami me chuchotait à l'oreille le Valois de Nerval, il est vrai tout près.

Mais ici, après avoir déboulé dans ce rude paysage, quels vers réciter? Le langage existait-il seulement en de tels lieux? Étions-nous encore des hommes, ainsi recroquevillés sur le rivage, comme attendant notre naissance?

J'ai mis du temps à comprendre où nous étions. Et en dépit de questions formulées à voix haute, davantage pour conjurer l'aspect écrasant du tableau que pour obtenir une réponse, je ne tenais pas spécialement à faire coïncider la vue que nous avions avec quelque point trop précis sur une carte. Ce lieu n'était pas de nulle part ; il était le nouveau centre donné à l'univers, qui n'en savait rien, même si, témoins de son avènement, nous-mêmes ne pouvions plus en douter.

Mais le savoir a ses servitudes. Il a bien fallu se lever, arpenter notre éden et le nommer, puisque nous en étions les premiers habitants.

1

— Au Canada! s'était exclamée Madame Joly. Pourquoi si loin, mon fils?

Les couverts avaient repris leur entrechoquement, comme pour marteler l'inconcevable réponse du fils. Pierre-Gustave Joly a vingt-deux ans. Il s'est rendu jusqu'en Syrie, déjà, et se propose d'y retourner. Il est allé en Grèce, à Constantinople, à Rome, et il compte bien retourner aussi dans chacun de ces endroits. Comme tout jeune homme bien né, il a fait le Grand Tour, il est vrai sans jamais quitter le continent, ce dernier dût-il, au-delà de l'Oural, prendre un autre nom et s'effilocher jusqu'à devenir l'Asie. Si la mer est traîtresse, la terre ferme ne trompe pas. Elle suffit à vous rattacher à votre Suisse natale, aussi loin que vous croyiez être allé. Il y a des pierres, des fûts de colonnes tronquées, des entablements vertigineux qui se découpent sur le bleu du ciel, avec des bas-reliefs de chevaux et de conducteurs de chars, dieux et hommes mêlés. Pierre-Gustave, fils de la jeune Europe qu'emporte le taureau, est aussi fils de ces montagnes qui vous enferment dans un écrin de verdure, comme une boîte à fard, petite, trompeuse, ravissante, qui vous enferment, vraiment, vous et ce que l'usage appelle un pays. Rentré de la Grèce, Pierre-Gustave Joly sait assurément qu'il appartient aux pierres et aux marbres de l'Attique. Appartiendra-t-il un jour à l'Amérique?
— Achète au moins une plantation, avait poursuivi la mère. Le coton

rapporte bien. Ou alors as-tu pensé à l'indigo ! On dit que des fortunes se sont construites là-dessus. Je le sais par les tantes d'Allemagne, qui connaissent des gens. Ou encore essaie les épices. Mais le Canada ? C'est plus loin encore que l'Amérique !

Pierre-Gustave choisit d'accoster à Québec. En 1820, c'est un joli bourg, agrippé au cap Diamant, comme une moule à son rocher, et, tout autour, des forêts, des champs, des villages de trois feux, un grand marché le samedi où le jeune monsieur ne résiste pas aux vanneries proposées par des créatures qui portent un fichu, deux châles et trois épaisseurs de jupes, des sauvagesses, murmurent avec dédain les paysans, les artisans, les commerçants, les bourgeois, en somme tous ceux qui ont un banc à l'église et sont bien propres sur eux.

Les premiers temps, Pierre-Gustave loue un meublé rue Sainte-Ursule. Très vite, il fait construire une maison. Dans ce pays, découvre-t-il, le vin est inconnu, les fourrures appartiennent au passé et le bois est l'avenir. Pour tenir son ménage, il embauche un homme à tout faire et une cuisinière, mari et femme, c'est mieux ainsi, et quand il rentre le soir, après des heures de négoce, de palabres, d'achats divers et de routes poussiéreuses, une soupe fumante l'attend, et un bain. Le reste de la soirée se passe dans son étude, à lire *Le Temps, La Minerve, Atala*, dès lors que Madame Joly veille à fournir son fils en nouveautés. Parfois aussi, il disparaît dans la petite pièce à côté, où il regarde longuement, presque amoureusement, ses premiers daguerréotypes, ma foi, plutôt réussis.

Il assiste à des réceptions. On invite volontiers le jeune monsieur, distingué, à la fortune réelle mais non tapageuse, aux manières aristocratiques, un jeune homme qui a le nez droit, de courts favoris, et sait converser. Et danser. Aussi peut-il inviter les jeunes filles du cru qui rougissent et ne font même pas semblant d'hésiter, trop heureuses de leur chance. Tout un parterre de fleurs s'offre à lui, du reste à cet âge, tout vous est offert, c'est entendu. Pierre-Gustave est un jeune homme plein de sève mais qui sait raison garder, tout en dansant sous le grand lustre. La danse finie, il raccompagne sa partenaire jusqu'à son fauteuil et prend congé avec des égards. Sans chercher à la retenir. Libre et vigoureux, n'est-ce pas le meilleur état quand on a vingt-quatre ans et qu'il faut régulièrement retourner en France où l'appellent les affaires d'une famille qui a entre-temps quitté la Suisse et s'est établie à Épernay, en Champagne ? Et de là revenir au Canada ? Et en repartir ?

Pierre-Gustave est heureux. Dans son étude, il s'enferme avec les volumes de l'indispensable *Encyclopédie* de MM. Diderot et d'Alembert, les ouvrages de M. Voltaire, le *Télémaque* de l'archevêque Fénelon, et Taine au complet, si instructif. Il pratique aussi son Plutarque, aux *Vies* exemplaires. Pierre-Gustave n'a pas lu Marc-Aurèle, il ne connaît pas les ouvrages de M. Henri Bayle, forcément, mais il n'est pas le seul, Bayle lui-même ne se connaît pas encore. Et puis, quelqu'un d'ici, un jour, lui a recommandé de lire les *Mémoires* de M. de Gaspé père, il lui a dit que, ce faisant, il n'en saisira que mieux le génie des lieux en grande partie façonné par l'Ancien Régime et, pour la teinture de rouge, il n'y a qu'à lire *La Lanterne* et les billets de M. Buies. Vraiment, pourquoi se marier quand il existe tant de choses intéressantes à voir, à lire, à faire ?

C'était avant de l'avoir rencontrée.

Ce soir-là, il y avait bal chez les Chartier de Lotbinière. Tous les regards convergeaient vers les trois demoiselles de la maison, mais c'est à Julie-Christine, vers elle seule, qu'est allé le sien, pour ne plus s'en détacher. L'hôtesse ne cachait pas sa fierté de montrer ses filles dans la bonne société. Les débuts de l'aînée remontaient à l'hiver précédent, en mars pour la benjamine. La cadette, Julie-Christine, assistait, ce soir-là, à son deuxième bal.

Sans connaître en détail ces rites de femmes, Pierre-Gustave s'est approché de la jeune fille comme un moustique s'approche de la flamme. La contredanse finie, il a demandé s'il pouvait s'asseoir à ses côtés, pour faire connaissance. Il n'a pas surpris le regard de la mère. Sans interrompre la phrase qu'elle destinait à sa voisine – une dame Nogicen, se plaignant des chaleurs de juillet qui avaient abîmé les fleurs, et que faire maintenant sinon, peut-être, adopter en effet ce système ingénieux de paillis, un paillis, vraiment ? s'étonne la mère –, elle n'a rien raté de l'intéressante manœuvre. Le jeune homme était pris. Il n'y avait plus qu'à ferrer.

Pour autant, n'allons pas faire une maquerelle de Madame Chartier de Lotbinière, qui n'est qu'une mère prévenante et responsable, qui connaît l'importance du mariage dans la vie d'une femme et n'entend pas que ses filles ratent le leur. Chacune pourra y ajouter l'épice de l'amour, si elle y tient, mais que cela ne vous interdise pas de garder la tête froide, ma fille. Comme si on pouvait faire les deux !

À peine six mois plus tard, la demande de Pierre-Gustave est reçue favorablement. Le contrat se fera sous le régime de la séparation de biens. Prudence et Amour se tenant par la main, a-t-on jamais vu pareille alliance au sortir du temple ? — car Pierre-Gustave appartient à la religion réformée, calviniste, en fait. Il n'y a que dans les romans que les jeunes filles perdent la tête tout en gagnant un cœur. Les romans sont des tissus d'invraisemblances, c'est dans leur nature, il est bien agréable de s'y perdre pendant quelques heures, mais on ne peut s'en inspirer pour régler sa vie. Cependant, Julie-Christine souhaite confier à son époux la gérance de la seigneurie qu'elle apporte en dot. À lui de faire fructifier le domaine pour le couple qu'ils forment dorénavant, et pour les enfants qu'ils auront.

Voilà comment un jour Pierre-Gustave Joly s'est tenu debout sur cette grève, à l'endroit même où nous sommes. Tout au bout de la grève, il aura admiré le « platon », pointe de roche plate qui s'avance dans le fleuve, hors des limites de la propriété. Il aura pensé qu'on pouvait y construire un quai et qu'alors les barges chargées de bois qui remontaient le fleuve, certaines jusqu'à Montréal, à la belle saison, pourraient s'arrêter à la Pointe-Platon pour y charger une partie de leur cargaison. Que cette escale serait profitable à l'économie de la seigneurie qui, certes, n'en était plus une comme aux temps anciens, mais en avait conservé certains aspects. Ainsi, les censitaires portaient peut-être maintenant le nom de cultivateurs, ils devaient quand même payer le cens. Pierre-Gustave se disait qu'autour, dans ces forêts si bien fournies en érables, bouleaux et chênes, il ne faudrait jamais couper le bois inconsidérément, mais le faire de manière raisonnée, avec le souci de l'avenir. Qu'il planterait toutes espèces d'arbres, pour en voir le résultat. Et lui, Pierre-Gustave, se tiendrait là, c'est-à-dire juste ici, avec un moleskine, où noter la marée, ses heures, ses reflux, ses couleurs.

Julie-Christine sourit. Au début de leur mariage, ils se sont installés en ville, rue Sainte-Ursule, dans la maison de Pierre-Gustave, devenue aussi celle de Julie-Christine et où on reçoit autant qu'on est reçu. Mais ça ne durera pas. Julie-Christine sait que son mari projette de construire sur les terres mêmes de la seigneurie une maison où habiter pendant tout l'été, et pas uniquement un quai pour le commerce. En juin prochain, c'est entendu, ils rendront visite à la famille de son mari. À Épernay, Madame Joly les attend déjà, et peut-être en profitera-t-on pour rendre visite aux tantes d'Allemagne, mais rien n'est sûr, car on voudra aussi séjourner à Paris, à Londres, et se rendre en Égypte. Pierre-Gustave en rapportera de nouveaux tirages à étudier, à ranger, à scruter, à chérir, parfois, persuadé d'avoir réussi à arrêter le temps et à fixer des impressions qu'une mémoire fantasque triturait jusque-là à sa guise. L'ordre, toujours. Pierre-Gustave aime l'ordre.

Les daguerréotypes ne sont qu'un aspect de l'industrie déployée par le jeune négociant-seigneur. Tout en haut de la falaise, dans ce qu'il conviendrait presque d'appeler un parc tant la forêt y est tenue à distance, des bâtiments surgissent qui ne sont pas encore la maison qu'ils habiteront un jour, à la belle saison, mais les dépendances d'un corps de logis à construire. Dans l'une de celles-ci, non loin de la maison du gardien, Pierre-Gustave a installé un laboratoire, même s'il refuse de prendre la pose du savant et ne prononce le mot que tout bas. N'est-il pas prétentieux de s'adonner à la chimie sans avoir fait d'études ?

Ses multiples séjours à Paris ont fait de Pierre-Gustave un habitué du Muséum d'histoire naturelle. Il admire l'esprit méthodique de Linné et se réjouit que des savants de cette trempe aient voulu trouver la direction à l'œuvre, en dépit des apparences, dans l'exubérante Nature. Mais à Pierre-Gustave, la science seule paraît encore trop peu.

Un jour qu'il est en visite chez ses tantes, à Berlin, il fuit leurs thés, leurs attentions, leurs remarques envahissantes, pour se réfugier au Kunstmuseum où l'attendent, comme peints pour lui seul, deux marines et un paysage de Caspar David Friedrich. Alors, perdu au milieu des jupes et des cannes battant le sol, sous l'œil froid du gardien de la salle assis sur sa chaise, et tandis qu'un ciel très bleu se laisse voir à travers la croisée, il ne sait pas donner un nom au sentiment qui s'empare de lui, âpre, et semble l'aspirer vers l'abîme.

Quelle est cette douceur au goût de vase et d'herbe mouillée qui lui monte aux lèvres ? Dans sa poitrine, une main est entrée et lui broie le cœur avec application. Ce n'est pas le commerce du vin et du bois qui paraît vain, ou pesante, la famille, avec ses règles, ses héritages, ses obligations. Ce n'est pas la Suisse, jadis, ni Épernay, où ses parents se sont établis depuis dix ans, qui paraissent étriqués et qu'il faut blâmer pour le sentiment nouveau qui l'étreint, mais la forêt maudite du peintre, qui a dévoré toutes les pensées de Pierre-Gustave, jusqu'aux plus légères. Alors, même le coucou, tout en haut du mélèze, semble triste. Qu'est-ce que vivre ? Un moment de conscience entre deux néants. Une bêtise, dont il convient de ne pas trop s'encombrer l'esprit. Une motte de glaise à façonner d'une main sûre, malgré le doute. Pierre-Gustave entre dans l'âge métaphysique, et ses pensées ne connaissent pas la demi-mesure. Son esprit s'enflamme, il peine à ordonner les questions qui en font le siège. Qu'ont-ils fait de leur vie tous ceux qui se sont rendus dignes de figurer dans les livres ? Ont-ils seulement pris conscience du devoir qui leur incombe de l'inventer chaque jour, bataille après bataille, geste après geste, morts et vivants réquisitionnés pour en accomplir le dessein ? Dans quelle mesure le souvenir qu'ils ont laissé d'eux-mêmes est-il conforme à ce qu'a été leur existence ? Alexandre sait-il qu'il va mourir à son heure hâtive et qu'avoir construit un empire n'y changera rien ? Et Winckelmann, qui meurt dans une illusion de pureté antique, sans soupçonner les éclats de couleurs que le temps a laissés dans les plis des tuniques des statues et qui disent, au contraire, l'impureté du vivant et de l'art, Winckelmann passe à l'histoire comme la figure du savant abusé, non de l'esthète éclairé. Est-ce cela qu'il a voulu ?

Devant les Friedrich du Kunstmuseum, Pierre-Gustave ne voit que lui-même, petit personnage enfoui dans un paysage et qui hésite. Faut-il entrer dans la forêt ? Au risque de se perdre, faut-il pousser au-delà du sentier, là où les ronces ont remplacé la mousse et où le bois mort n'est jamais lié en fagots par de vieilles femmes ? Pierre-Gustave porte un costume de bonne coupe. Ce matin encore, son valet a astiqué ses bottes, et il les astiquera ce soir quand il retrouvera le vestibule des tantes. Est-ce vivre, cela ?

Mon petit, disent les tantes d'Allemagne, tu devrais t'amuser un peu. Tu es tout pâle. Laisse tomber ces vieilleries, ajoute l'aînée, qui promène un doigt sur le tulle plissé derrière la vitre de l'armoire-bibliothèque, avant d'en refermer les portes dans un claquement ennuyé. Ton oncle passait toutes ses soirées dans cette pièce, mais au moins le jour le voyait en ville, à traiter ses affaires. Tu as toi-même de quoi t'occuper. Ma chère sœur ne t'a-t-elle pas confié celles de ton père ? Dieu ait son âme.

Sans déplaisir, Pierre-Gustave prend congé des tantes de Berlin. À l'angoisse des forêts ataviques, il répondra par d'autres forêts, tout aussi démesurées mais à domestiquer, celles du Nouveau Monde, où trouver peut-être des réponses à ses questions.

Sans doute l'épithète « Nouveau » l'avait-elle bien disposé à cet égard. Malgré tout, il avait été frappé par la jeunesse des forêts, le long du Saint-Laurent. Ici, pas de forêts cathédrales, pas de sous-bois habités et chuchotant, aux sentes nombreuses, mais comme une grande confusion, celle des débuts, jetée là, et que le frémissement des bouleaux n'arrivait pas à égayer. Le Nouveau Monde, comprit-il bientôt, est chose grave, mais Pierre-Gustave montrait une volonté de déchiffrement assez réjouissante, qui décourageait la contemplation et le faisait se précipiter avec joie sur la cognée – ou plus exactement les hommes travaillant sous ses ordres. Pierre-Gustave embauchait les siens à la saison plutôt qu'à la journée. Il aimait la stabilité autant que l'ordre, se fixait un but et se donnait les moyens de l'atteindre. Puis, un autre but. Suivi d'un autre accomplissement. Un bâtisseur, comme on dira plus tard.

À Sainte-Croix, sa première visite fut pour le colon établi sur les terres contiguës à la seigneurie. Il s'appelait Pierre Legendre. Quatre fils, une fille, une terre en bois debout à l'extrémité du pré où paissent deux vaches et un mouton. Voulait-il vendre ? Pierre-Gustave pouvait faciliter son établissement vers l'intérieur. La terre y est encore plus grasse, il pourrait y faire pousser du blé, en plus du maïs et des courges.
— Je ferai en sorte qu'on vous attribue aussi le lot voisin, celui qui fait l'angle. Cela vous fera un beau pâturage en plus.
— C'est que j'ai pas envie de bouger, avait répondu l'autre, méfiant. Vous avez vu ça ?

S'il voyait ! L'éperon s'avançait dans le fleuve, en trois longs paliers précautionneux, tournant le dos à des hectares de bonne terre brune. Si on baissait les yeux, à supposer qu'on en ait envie, tant le regard portait loin, avec les cris des goélands comme un appel, on apercevait une falaise de schiste haute d'une dizaine de toises au moins, et en bas une grève interminable. Quel caprice, ou plutôt quelle malice, avait incité celui qui signait du royal prénom de Louis ainsi que M. Talon, son intendant en Nouvelle-France, à ne pas avoir inclus la Pointe-Platon dans la seigneurie d'origine ? D'emblée, les Chartier de Lotbinière avaient peut-être compris qu'ils étaient lésés, mais allez donc finasser avec les largesses d'un Roi ! Cependant, rien n'est sûr.

Et il se peut que la famille ait été tout bonnement reconnaissante de la seigneurie offerte. Misère des hommes qui se contentent de posséder sans habiter les lieux ! Ils sont vulnérables. Ils se croient riches d'un bout de papier. Or bâtir suivant le lotissement actuel se révélait impossible.

— Notre famille, lui répliqua sa belle-mère avec hauteur quand Pierre-Gustave aborda le sujet, est alliée aux Polignac, aux La Rochefoucauld, aux Chateaubriand. Elle est l'une des plus anciennes à avoir pris souche en Nouvelle-France. Je vous le concède : il lui a manqué un bon régisseur. Mon aïeul, René-Louis, était trop occupé à servir le Roi pour songer à faire fructifier son bien comme il aurait dû. Ses censitaires s'en sont chargés pour lui. N'y voyez aucune négligence, mon fils, la plupart des seigneurs ne vivent pas sur leurs seigneuries dès lors qu'elles sont souvent situées hors des limites de la ville. Mais quel zèle montrez-vous là ! Pourquoi voulez-vous à tout prix acquérir les terres de ce Legendre ?

— Madame, les temps nouveaux appellent des hommes nouveaux. Julie-Christine et moi allons nous établir là-bas. Nous serons ainsi les premiers seigneurs du lieu à y vivre. Nous y passerons tous les étés, assurément, et nous nous attarderons le plus longtemps possible en automne. Vous voudrez sans doute nous rendre visite. J'ai le projet d'y faire construire une gare, où s'arrêtera le train Québec-Montréal. Le commerce du bois le justifie amplement. Mais il nous faut aussi une demeure confortable. J'ai déjà repéré l'endroit où la construire. La Pointe-Platon donnera au domaine le débouché sur la mer dont il a besoin pour se développer. Aidez-moi à convaincre Legendre.

— Vous avez examiné ses titres de propriété ?

— Ils sont tout ce qu'il y a de plus réguliers. Le nouveau régime aura été sa chance. C'est donc de gré à gré qu'il nous faudra transiger.

L'intuition du jeune homme devant les Friedrich avait été la bonne. La résistance des événements est chose salutaire, qui vous éloigne de la mélancolie des forêts et des destins fameux, et vous jette dans la lutte quotidienne. Soudain, Pierre-Gustave peut croire qu'il ne reste plus qu'un seul obstacle à lever pour qu'il se mette à bâtir, puisque l'entêtement d'un Legendre fait oublier les autres. N'est-ce pas vivre, cela ?

Alors la nuit tombe. Pierre-Gustave étudie la position des étoiles, à Québec à la fois mêmes et différentes qu'à Épernay. Quant à l'alignement des planètes, Ancien ou Nouveau Monde, il ne change pas. À Paris, les relations de sa famille avec le duc de Beaufort, qui se fournissait en conversations dans le salon de Madame Joly avant de se fournir en vin dans ses caves, avaient valu un jour à Pierre-Gustave d'être reçu par M. Cassini, astronome royal, quatrième du nom. En gravissant le grand escalier en colimaçon qui menait jusqu'à la tour de l'Observatoire, le jeune homme ne pouvait soupçonner l'importance que prendrait l'astronomie dans son existence. Depuis plusieurs années déjà, Jean Dominique Cassini n'était plus le directeur de l'Observatoire. De ses fonctions anciennes il avait toutefois gardé le privilège d'aller et venir à sa guise dans le bâtiment. Au visiteur Cassini IV avait montré les carnets de son trisaïeul, Giovanni Domenico, celui-là même que Louis, entiché d'Italiens, avait fait venir de l'arrière-pays niçois, et qui dès lors n'avait plus quitté Paris, ni Giovanni Domenico, ni ses descendants aux semblables prénoms. Le Nouveau Monde, n'en doutez pas une seconde, monsieur, se situe bel et bien sur la même planète que l'Ancien, la troisième à droite du Soleil. Pierre-Gustave s'avise alors que le Nouveau Monde a été découvert plus d'un siècle avant que Giovanni Domenico Cassini ne dessine le système solaire. Ce Nouveau Monde, l'Europe l'avait possédé. Les peurs des Anciens n'étaient plus de mise. Les caravelles ne tombaient plus dans les abîmes une fois franchie la frontière du monde connu et, sur les cartes, nul monstre n'était plus le gardien de mers exotiques.

À un Cassini IV dubitatif Pierre-Gustave avait exposé les principes du nouveau procédé photographique qui permettait de fixer la réalité. Un jour, un tel procédé rendrait obsolètes les croquis faits par des savants comme son trisaïeul et inutile l'embauche d'assistants dessinateurs. Cassini IV avait secoué la tête.

— Permettez-moi d'en douter, monsieur. Rien ne remplacera la précision du trait associé au regard. La main, l'œil et le cerveau réunis : il n'est de plus sûre combinaison pour la science, qui progresse grâce à l'observation directe, non en s'appuyant sur de quelconques *fac-similé*. Laissez votre procédé nouveau aux artistes. Peut-être même êtes-vous un de ceux-là, Monsieur Joly ?

— Je ne suis que de passage à Paris. Mais si vous voulez me faire le plaisir de me retrouver à mon hôtel, je vous montrerai quelques clichés récents, pris en Turquie.

— Cherchez donc votre Canada sur cette mappemonde, mon jeune ami, et dites-moi si vous en reconnaissez les contours. Demain, à six heures, je regarderai votre Turquie en images et vous dirai si elle coïncide avec la mienne.

— Vous êtes allé en Asie mineure ?

— Pas moi. Mon grand-oncle, frère de mon grand-père. Ses récits ont bercé mon enfance. Croyez-moi, il faut prendre à la lettre les récits des explorateurs. Leurs yeux ont vu ce qu'ils racontent.

Penché sur les cartes anciennes de Cassini Ier, Pierre-Gustave avait

ensuite étudié l'échancrure du Canada dans sa partie orientale. Les marges de l'inaccessible territoire étaient ornées d'ours, de loups et de castors aux museaux de tamanoir. Cassini IV avait raison au moins sur un point : les deux mondes étaient bien situés sur la même planète. C'était toujours ça de pris.

Assis au bout de la Pointe-Platon, sous le regard perplexe de Legendre menant ses vaches à l'étable, Pierre-Gustave ferme les yeux, ébloui par le miroitement du fleuve et, en cet instant de dépit, il se sent bien capable de se jeter dans le grand chaudron originel entrevu dans les croquis de l'Observatoire.

Ah comme il est réel, ce chaudron. Des températures aberrantes font bouillonner la surface du globe où nul être humain, nul animal, nulle vie n'a encore vu le jour. Nul être humain susceptible de marquer un point à partir duquel décréter l'apparition du Nouveau Monde, né de l'Ancien, le premier à jamais tributaire du second.

Dans ces temps d'avant les temps, la réalité et l'imagination se confondent dans une puissante possibilité. Certains jours, le ciel, d'un bleu violacé, est strié d'éclairs. À d'autres, la masse orangée du soleil éclaire la scène d'une lumière brutale. L'esprit de Pierre-Gustave hésite entre les deux scénarios avant de faire s'ouvrir le sol qui crache d'invraisemblables rochers, un désordre de feu qui ne connaît ni sable ni herbe, à peine de l'air, et tout un fracas où le lyrisme de Pierre-Gustave, prompt aux distorsions, voudra voir la fin du monde, sans comprendre qu'il s'agit de son commencement.

Pierre-Gustave ouvre les yeux. Malheur. Il nous aura aperçus, tout en bas, sur la grève. Il faudra en passer par des présentations embarrassées, expliquer notre présence en ce lieu. Qui sommes-nous pour oser nous introduire ainsi dans son existence ? Il faut croire que la chance nous sourit. L'ancêtre Joly n'a d'yeux, en ce moment, que pour les blocs épars que la terre, était-ce hier ? éructait avec violence. Que faire de ces blocs, une fois maître des lieux ? puisque Pierre-Gustave ne doute pas de pouvoir s'entendre un jour avec Legendre. Les déplacer est tâche surhumaine ; les ordonner, de mauvais goût. Pierre-Gustave, qui a vu les ruines du temple de Zeus à Olympie ; qui a pris la mesure monumentale du temple d'Artémis à Éphèse, grâce à l'unique colonne ayant survécu au temps, à l'ambition et aux suppliques des hommes ; qui a dévoré les récits faits par Monsieur Schliemann de ses fouilles à Mycènes, Pierre-Gustave comprend que le monumental n'est qu'une province de l'orgueil. À vrai dire, il s'agit plutôt ici de force brute.

— Rien que ça ? ironise l'ami. Ne pouvez-vous donc vous en tenir aux faits ?

Et nous éclatons de rire.

2

Henri-Gustave, fils de Pierre-Gustave et de Marie-Christine Joly, né Chartier de Lotbinière, s'avance vers nous, restés sur la grève. Il a gardé sa redingote et son col dur de député, qui fut aussi celui d'un premier ministre, mais en cours de route il a retiré bottines vernies et chaussettes, laissées près du rocher coiffé de feuillus qui a surgi dans la courbe de la plage. Notre préfet aux champs affiche l'air sérieux des parlementaires qui se dépensent, à Québec comme à Ottawa, pour le bien public, comme ils disent. Il s'arrête à notre hauteur, se présente dans les formes. Pour ma part, je ne vois que de grands orteils blancs qui s'enfoncent dans le sable, comme des serres d'oiseau de proie.

Henri-Gustave est agacé.
— Elle vous plaît peut-être à vous, madame, votre histoire, mais je vous assure que ça ne s'est pas du tout passé comme vous le dites.
— Pas du tout, vraiment ? et pourquoi ? s'enquiert l'ami que le vieux procès fait à la fiction ne lasse pas.
— Elle mélange tout, proteste l'ancêtre, sans un regard pour moi qui fixe ses orteils. Les voyages de mon père furent tardifs. Quand mes parents se sont connus, mon père ne s'était pas encore établi au Canada, où il était venu pour traiter des affaires au nom de la famille Joly. Quant à prétendre que le vin était inconnu dans ce pays ! Vous vous rendez compte ? Pourquoi faudrait-il laisser dire n'importe quoi

sous prétexte qu'il s'agit de fiction? L'histoire est une discipline sérieuse. Votre amie aurait pu au moins se renseigner avant de nous débiter ses contes.

À quoi bon expliquer que je l'avais fait? Chacun conte ce qu'il peut et je n'avais jamais prétendu faire œuvre d'historien. D'autre part, devoir assister à une conversation où l'on parle de vous à la troisième personne était pour le moins déroutant, et j'aurais pu y voir quelque mépris si mon contradicteur n'avait été pieds nus. Débouté comme il l'était, il ne pouvait encourir de reproche. C'était un jeu, et on s'amusait. Lui à se fâcher, l'ami à s'étonner, moi à conter.

Trop tard. Henri-Gustave, qui m'avait entendue penser, se vexa davantage. C'est l'ennui avec les morts. Là où ils sont, ils savent ce que nous ignorons et gagnent du temps. Et puis, comme je pouvais maintenant le constater, ils savent lire dans les pensées des vivants. Henri-Gustave souleva un pied et fit tomber le sable entre ses orteils. Geste comique, qui serait de toute façon à recommencer, puisqu'on n'était qu'à mi-parcours.

Un pied blanc, avec des touffes de poils sur les phalanges. Des ongles soigneusement taillés. Ni cal ni corne. L'autre pied fut désensablé de la même façon. Ce sont là, madame, des pieds de gentilhomme, dit enfin Henri-Gustave, guettant l'effet produit par sa mise en scène, non d'un va-nu-pieds.

Le mot d'esprit m'a fait sourire. Nous avons fait la paix. D'un geste décidé, le maître des lieux a glissé son bras sous le mien.
— Suivez-moi. Je vais vous montrer ce qu'est la réalité.

C'est ainsi que nous avons tous trois remonté la grève et suivi le sentier qui menait à Maple House et aux jardins.

L'œuvre de fiction habile, comme le menteur, prend soin d'insérer quelques faits avérés au milieu des mensonges. Aussi, n'en doute pas, lecteur, il est vrai que Pierre-Gustave et Marie-Christine furent les premiers seigneurs à vraiment habiter les lieux. En 1672, l'ancêtre René-Louis, qui l'avait reçue du Roi, n'avait pas souhaité le faire. Cependant, il favorisa le peuplement de la seigneurie qu'il saura agrandir, jusqu'à tripler sa surface. Déjà, en 1681, cinquante-huit âmes, selon la formule alors en usage, aussi étrange qu'elle puisse paraître – tu saurais, toi, lecteur, compter les âmes ? –, y cultivent la terre, y coupent le bois. Parmi ces âmes flottent celles, précisent les registres, de trois célibataires, aussi bien dire des parias. Ces trois solitaires me font rêver. Hommes ou femmes ? Laiderons ? Simples d'esprit ? Notre époque, qui se pique de subversion sans voir le caractère convenu de ses engouements, peut-elle concevoir l'audace involontaire montrée en leur temps par ces trois célibataires ? Sans doute n'ont-ils pas choisi leur état. Les circonstances les ont fait s'y installer peu à peu. Chez l'un – ou chez l'une, ce n'est pas exclu –, le célibat sera le fruit de quelque tempérament exalté qui vous fait chercher Dieu dans un feu qui crépite, le soir venu, après une journée passée aux champs, de la terre sous les ongles, une grande fatigue dans tout le corps et l'omelette qui bave doucement dans un poêlon retiré des braises. Pourquoi Dieu ne serait-il pas aussi présent dans le silence ainsi préservé d'une maison sans mari ou sans femme, sans enfants certainement, dans le silence d'une cabane d'ermite, à vrai dire, où seul le fusil appuyé contre le mur, derrière la porte, vient rappeler la nécessité de savoir aussi se défendre contre ses contemporains ?

Chez l'autre, les voisins verront un taré que la mort de ses géniteurs a laissé seul au monde. Tout est resté en place, le lit, les ustensiles de cuisine accrochés au mur, les seaux, les linges tissés et ravaudés par la mère, et pourtant chaque chose se dégrade insensiblement faute d'un usage, minée par l'indifférence, qui est aussi négligence. Quand, au village, on demande à l'homme seul s'il ne manque de rien, comme ça, en passant, l'inquiétude d'une voisine qui sait ce qu'il en coûte de tenir maison, seul un rire contraint répond, que chacun interprète à sa façon.

Qui sont ces trois célibataires, anomalies de l'état civil ? Leur identité se perd, tant il est vrai que toute vie ne se réduirait qu'à deux dates, poussières et vent, si cette vie ne se prolongeait dans une descendance. Ce qu'il y a de sûr, en revanche, c'est que René-Louis, premier seigneur des lieux, n'est pas l'un d'entre eux, puisqu'en 1709 c'est son fils, Louis-Eustache Chartier, qui devient le deuxième seigneur des lieux. Nous le retrouverons tout à l'heure devant le moulin qu'il entretient, comme l'exige son devoir de seigneur, mais sans y habiter, comme il pourrait le faire. Décidément, les quelques lieues qui séparent la seigneurie de Lotbinière du bourg de Québec paraissent infranchissables pour qui possède un peu de bien et veut tenir son rang en ville.

Quand son épouse meurt, en 1723, Louis-Eustache se défend mal contre la tentation d'un tête-à-tête avec Dieu, et il entre dans les ordres. Sa solitude est peuplée : il est nommé doyen de la cathédrale et conseiller au Conseil supérieur de Québec. Ces titres font en sorte que son fils Michel – fils de prêtre ! – est respectueusement salué en ville. La situation choque de prime abord, mais elle s'explique et, à tout prendre, dit la rumeur publique, mieux vaut avoir un prêtre pour père qu'un ivrogne, ou quelque marin, toujours absent, ou un simple forgeron.

Le quatrième seigneur des lieux est le père de Julie-Christine, qu'épousera bientôt notre Suisse mélancolique. Eustache-Gaspard Alain Chartier de Lotbinière est seigneur de Vaudreuil, où il habite. Il possède aussi d'autres seigneuries. Un nabab, quoi, père de trois filles, toutes belles. Chacune aura une seigneurie en dot : Vaudreuil, Rigaud, Lotbinière.

Henri-Gustave, qui nous précédait dans le sentier, s'est retourné. Il a insisté.

— Tout à l'heure, quand vous avez mis dans la bouche de Madame Chartier de Lotbinière ce regret au sujet d'un régisseur : faux, archifaux. Jusqu'à l'arrivée de mes parents, c'est au contraire toujours à l'aide d'un homme de confiance que la seigneurie était administrée. C'est trop de régisseurs qu'elle aura connus, et pas assez de seigneurs à demeure. Il faut savoir ce que l'on écrit, madame.

J'ai haussé les épaules. Sa mauvaise humeur revenait. Licence poétique, a expliqué l'ami, conciliant, qui enrobait l'erreur d'un terme docte pour la faire oublier – vieux truc toujours efficace. J'ai contre-attaqué.

— Très bien, monsieur. Alors, puisque c'est ainsi, racontez-nous ce qui s'est passé.

Ma bonne volonté n'était pas feinte. Je voulais vraiment connaître les faits. Libre à moi d'en faire ensuite ce que je voulais.

Ébouriffant ses plumes, Henri-Gustave s'exécute. Au début, le couple passe quelques étés dans une maison rachetée à l'un des censitaires. Puis, très vite, nous sommes en 1851, s'élève Maple House, avec ses deux grandes galeries couvertes en façade, et sa dentelle de bois dans le style pittoresque en vogue au milieu d'un siècle qui voit s'installer le chemin de fer, sans soupçonner, qu'ayant apporté avec lui l'industrie, le même donnera, plus d'un siècle plus tard, la morne autoroute 20, une campagne défigurée, des trombes de « 1ère Avenue » et de « 6e Rue », des usines préfabriquées, l'asphalte brûlant, des commerces sans caractère, suivis de leurs ripostes enjolivées pour tourisme vert, stéréotypées elles aussi.

Mais… d'où tenait-il cela ? Décidément, les morts étaient très forts !

— En somme, tout ce que nous avons laissé en haut, avec la voiture, a approuvé l'ami, sobrement.

Tout de même, quelque chose nous échappait dans cette histoire, sans doute parce que nous ne connaissons pas le monde des morts. Depuis l'au-delà, Henri-Gustave pouvait-il prendre la mesure de l'actuel gâchis urbain ? Avait-il vraiment employé ces mots ou les lui avais-je mis dans la bouche ? Je l'ai regardé avec attention. Il évoquait maintenant avec fierté les grands noyers qu'il avait lui-même plantés, à bonne distance de la maison pour éviter leur ombre néfaste, et qu'il nous ferait voir bientôt.

— Et dire, madame, qu'il s'en trouvait autour de moi pour prétendre que le noyer ne pouvait s'adapter au climat du Nord !

Ces grands arbres sont un démenti.

— De mon côté, je vous assure que je n'ai jamais rien pensé de tel, a rétorqué l'ami, avec gaieté. Tout est possible à la nature, si l'on ne ménage pas sa peine. Et je ne pense pas seulement aux noyers, a ajouté celui qui se souvenait d'avoir enfoui, à coups de talon, des glands dans une terre ingrate et d'en avoir vu sortir, des années et des tonnes de compost plus tard, des tiges de chênes, avec alors pour toute frondaison une poignée de feuilles vert pâle, miracle, promesses, certitudes confondus.

Henri-Gustave s'est tourné vers mon compagnon, les yeux brillants d'un éclat complice.

— Vous aimez donc les arbres, monsieur ?

— J'ai pour eux un grand respect.

L'activité d'Henri-Gustave, à l'Assemblée législative avait entraîné la création des premiers parcs nationaux. Le même avait institué la fête de l'Arbre dans les écoles canadiennes, congé scolaire à l'appui. Cette fête n'existait plus. Devant lui, sur la grève, nous n'en avons soufflé mot. À supposer qu'Henri-Gustave ait eu vent, depuis l'au-delà, du sort fait à ses initiatives d'amoureux des arbres, il n'en avait rien laissé paraître devant nous. S'il l'ignorait, nous n'allions pas le détromper. Fallait-il assombrir notre rencontre en rappelant l'insouciance des vivants ?

Nous étions néanmoins des vivants d'une autre trempe, puisque nous savions déjà que tout passe, les ambitions les plus élevées, les convictions les plus chères, tout passe, oui, sauf les pierres. Plus rien ne subsiste de la tristesse de Pierre-Gustave Joly devant des clichés pris aux confins du globe. Alors que les ruines, qui en avaient été le sujet, sont encore debout, fragiles certes, mais fortes d'un anéantissement différé, quand tant d'autres monuments du passé ne sont plus. Les ruines ne flanchent pas. Elles nous regardent les admirer avec l'étonnement des pierres qui ne comprennent pas que les hommes puissent raisonner différemment, car chaque jour, selon les décrets d'une histoire capricieuse, la perte de beautés conçues pour durer des siècles s'impose aux pierres comme un fait inéluctable. Et les pierres, sans protester, se soumettent à leur destin de pierres. Pourquoi cette sagesse serait-elle refusée aux mortels soi-disant doués de raison? La réponse à cette question inquiète sûrement les pierres.

Comme on le fait avec un grand malade, l'ami m'a gentiment tapoté le bras.

Je n'ai rien ajouté.

3

Ce matin-là, on avait fait atteler le landau dès la première heure, ce qui était la chose à faire, puisque c'est à ce moment du jour que la lumière brille de son éclat le plus subtil. Le chemin traversait Sillery comme une pelote se dévidant sur un tapis de verdure. Ce chemin, on l'emprunterait dans un instant, aussitôt terminé le petit déjeuner des archiduchesses, que la perspective d'une ballade à la campagne excitait grandement. Leurs cousines, princesses du Luxembourg, étaient tout aussi en joie, tandis que, respectueusement, mais résolus, les archiducs avaient décliné l'invitation de leur mère. C'est qu'ils n'avaient pas envie, eux, d'aller en promenade. Aux mondanités, même champêtres, Charles-Louis préférait les quelques heures d'oisiveté et de lectures qu'il voyait s'étendre devant lui. Et Rodolphe parla de timbres à classer. Les moments de réel repos ne sont pas si nombreux pour des souverains en exil. Mieux valait en profiter. Ah si seulement Otto était là ! soupire l'impératrice. De ses huit enfants, l'aîné est celui à qui reviendra le trône de l'empire austro-hongrois lorsque le temps de lui redonner un occupant sera venu. Car ce temps viendra, l'impératrice Zita, qui n'a pas abdiqué en 1918, qui n'abdiquera jamais, n'en doute pas une seconde. Le présent n'est qu'un cauchemar dont elle se réveillera un jour, plus forte, plus déterminée que jamais, à précipiter le fantoche de Berlin dans le dernier cercle de l'enfer, où il sera à sa vraie place, avec les traîtres à la patrie. Un occupant sur le trône ? Zita n'aime pas le mot « occupant », qui sent la république et la révolution. Disons un souverain, le serviteur suprême que réclament ces temps troublés et que les archiducs se préparent un jour à seconder en formant leur esprit à l'université Laval. Là où leur sœur aînée forme aussi son esprit.

Le landau attend devant la maison. En 1941, l'automobile est une fantaisie moderne que les sœurs de Jeanne d'Arc ne songent pas à s'offrir. Attelés, dociles, les chevaux s'ébrouent à intervalles, et leur robe, d'un noir luisant, leur donne une apparence fantastique que la douceur des rayons du soleil et un paysage tout en bocages et vallons fleuris n'arrivent pas à gommer. Ce sont là pourtant de vrais chevaux, réalistes, et tout ce qu'il y a de plus ordinaires. De braves bêtes, mises à la disposition de l'impériale famille et dont l'entretien est compris dans le loyer de la demeure. L'archiduchesse Élisabeth monte la pre-mière, suivie de Charlotte, sa sœur, et des princesses du Luxembourg. Toutes acceptent gracieusement la main tendue du cocher. Les bonnes suivent. L'impératrice Zita, fidèle à des habitudes de prudence que vingt-trois années d'exil, déjà, ne peuvent qu'avoir exacerbées, monte la dernière, non sans avoir parcouru du regard les alentours. C'est un vaste landau, qui peut accueillir confortablement toutes ces personnes. Alors il s'ébranle.

Comme chaque fois qu'elle part, même en promenade et non en fuyant – au Canada français, rien n'est grave, se répète Zita, tout ne peut être qu'anodin dans une société qu'elle veut croire respectueuse de l'histoire –, l'impératrice ne peut s'empêcher de jeter un regard ému sur les lignes harmonieuses, bien que rustiques, de Spencer Grange. Dès les premiers jours de son arrivée, le cocher des sœurs de Jeanne d'Arc a saisi le regard ému de l'impératrice qui s'attarde sur la façade, depuis la route, chaque fois qu'elle doit sortir. Aussi, pour lui être agréable, à chaque nouveau départ, il emprunte l'allée qui contourne la demeure, et c'est après ce détour seulement qu'il s'engage sur la route. Rien ne le justifie, et pourtant le rituel se répète depuis l'installation en ces lieux de l'impératrice Zita et d'une suite que l'on pourrait qualifier de dépenaillée, à considérer le train mené avant-guerre – la Première, bien sûr. Le rituel du départ devient ainsi comme une hésitation avant le saut, et la guerre – la Seconde – recule un peu, renvoyant les gesticulations d'un pantin à moustache au rang de pitreries sinistres.

Et si la famille impériale n'avait gagné qu'un sursis en se réfugiant à Québec? Et si des tanks pavoisés de croix gammées défilaient un jour sur le chemin Saint-Louis comme ils avaient défilé dans les rues de Vienne, de Budapest, du Luxembourg et sur les routes de Belgique? On a beau être une Bourbon-Parme, et avoir une bonne vingtaine d'années d'exil et d'incertitudes dans le corps et dans la mémoire, la perspective de voir débarquer les nazis jusque dans cette retraite discrète a de quoi vous glacer le sang. Les hommes d'Hitler n'ont-ils pas pourchassé les Habsbourg en Belgique? Mais à regarder cette façade couverte de lierre, cette allée ombragée qu'anime, certains jours, la présence silencieuse du jardinier des sœurs, l'inquiétude ne semble plus de mise, grâces en soient rendues au cardinal Villeneuve qui a finalement pris fait et cause pour les Alliés. S'il est vrai que le monde va vers l'abîme, on peut penser que les royaumes, les pays ou les peuples ne s'y précipitent pas avec le même élan, ni dans le même ordre. Les pensées de l'impératrice poursuivent leur ballet silencieux. Le rictus de la mort déforme déjà des milliers de visages, songe-t-elle en passant en revue les deux rangées de peupliers bordant la route, seule garde d'honneur désormais, mais elle n'en a cure, car d'autres visages, au même moment, sont crispés par l'effort et la lutte, songe-t-elle aussi. D'autres traversés d'inquiétude dans des cachettes dérisoires. D'autres, enfin, peuvent se croire à l'abri : entre eux et les orages d'acier ne s'étend-il pas tout un océan ?

Cet océan, Zita l'a traversé. Elle peut donc se croire provisoirement à l'abri. Auparavant, elle aura séjourné à Royalstone, au Massachusetts, mais ce lieu ne compte pas vraiment, puisqu'il a fallu en repartir à peine arrivée. À l'heure qu'il est, Otto est à New York, avec Félix, et les deux aînés sont occupés à préparer la libération de l'Autriche. Zita a choisi Québec, pour elle et pour les siens : ses plus jeunes enfants, son frère, le prince Xavier du Luxembourg, sa belle-sœur et leurs filles. Québec, ville sage, où l'encombrant symbole de sa personne, a-t-elle pensé, pourra se faire oublier. Mais comment pourrait-elle oublier qui elle est, alors que chaque fibre de son être est façonnée par la conscience de l'histoire, les usages, le devoir ? Le moins que l'on puisse dire, c'est que le cardinal Villeneuve, recteur apostolique de l'université Laval, n'a pas perdu, lui, le sens de l'histoire. Depuis les premiers Capétiens, comme l'histoire vient encore de le prouver, le trône et l'autel forment une alliance que rien ne saurait remettre en cause, ni la Convention, ni même maintenant les fausses séductions de ce Pétain, auxquels cèdent trop de Canadiens français au goût du cardinal – heureusement il y a les autres. Dieu ne les oubliera pas.

Vers dix heures, tandis que la chaleur monte du sol, le cocher immobilise l'attelage au milieu de la route. Il s'agit de fixer la capote du landau pour protéger du soleil le teint très pâle des petites altesses. L'impératrice fait claquer une noire ombrelle. Elle dit que ce n'est pas nécessaire et l'extrémité de l'objet invite les jeunes filles à l'imiter. Ces dernières s'exécutent. Alors comme il est beau à voir, cet équipage festonné de couleurs sombres ! Une heure plus tôt, à grand regret, on a laissé derrière soi les chutes de la rivière Chaudière, et l'impératrice a dû promettre qu'on y reviendrait en promenade. À onze heures, la voiture s'engage dans l'allée menant à Maple House. Le portail est grand ouvert. Les visiteuses sont attendues.

C'est à ce moment précis que, remontant le sentier avec Henri-Gustave Joly, nous tombons sur le prestigieux équipage. Notre étonnement est si grand qu'il nous transforme sur-le-champ en manants d'un autre siècle, jetant bas fourches et chapeaux, au passage du Roi. On pourrait croire, en effet, que Versailles se trouve à quelques lieues sur la droite – aussi bien dire à portée de main.

Je me tourne vers Henri-Gustave, en quête d'une explication : il a disparu. De nouveau, l'ami et moi sommes seuls, si l'on peut parler de solitude avec autant de fantômes qui vont et viennent dans les parages. Tout en trottant le long de l'allée, nous examinons à loisir les visiteuses, qui nous ignorent. Sentiment de légèreté ? insouciance des dimanches ? l'austère Zita a enlevé son chapeau. Elle a piqué de fleurs sa chevelure nouée en lourdes torsades. Elle porte une robe noire toute simple et a jeté sur ses épaules un châle du Cachemire, cadeau de Madame Churchill à son frère, le prince Xavier.

Une même simplicité a dicté la tenue des archiduchesses et des princesses, à ceci près que la frivole Adélaïde a voulu égayer la sienne d'une ceinture bleue. La plus âgée des jeunes filles n'a pas vingt-deux ans. À peine sorties de l'adolescence, elles posent un regard charmé sur chaque massif de roses, chaque parterre de fleurs, toutes choses qui font de Maple House un nouvel éden.

Les chevaux s'immobilisent, obéissant à l'ordre bref du cocher, et Monsieur Alain, suivi de Madame Agnès, s'avance à la rencontre des invitées. Alain Joly de Lotbinière ouvre la portière, fait jaillir le marchepied et tend la main à l'impératrice avant d'en faire autant à sa juvénile suite. Le cocher s'occupe des bonnes.

Mais d'où est-ce que je tiens tous ces renseignements? D'où vient que, tapie dans le fossé, je puisse nommer chaque visage et, chose plus étonnante encore, connaître l'histoire de chacun? Bientôt, Madame Agnès fait visiter les grands parterres en prenant soin de préciser chaque fois les variétés de fleurs, indigènes et exotiques, afin de satisfaire la curiosité des visiteuses. Pour autant, elle n'oublie pas de rappeler les noms de ces autres fleurs déjà bien connues de leurs Altesses, dahlias, glaïeuls et marguerites puisqu'elles servent aussi à fleurir Spencer Grange.

Américaine de la Caroline du Nord, Madame Agnès sait que les impératrices se font rares en Amérique et n'ont pas spécialement bonne presse, encore que, dans son pays, plus au sud, de très vieilles dames, oubliées dans de vastes demeures à portique, se souviennent des bals de débutantes, dans le grand salon, avec des pianos arrivés par bateau depuis la France, en même temps que les armoires Louis XVI, les fauteuils Régence, les récamiers et les lits à baldaquin. Sans oublier les cuisinières, les demoiselles de compagnie et les

gouvernantes françaises. L'impératrice incline la tête, sincèrement intéressée par les propos horticoles. Dans un instant, l'agronome de la petite compagnie, Monsieur Alain lui-même, s'animera en parlant de la   variété des pommes de terre bleues qu'il cultive de manière expérimentale, dans l'un des potagers du domaine.

— Celui-là, Alain, me chuchote à l'oreille l'ami qui s'y perd un peu, dans cette foule fantomatique, c'est bien le fils d'Henri-Gustave ?

L'ami pourrait hausser la voix : il ne risque rien.

— Ils ne peuvent pas nous voir, lui avais-je expliqué, un peu plus tôt, en remontant l'allée à la suite du landau. C'est normal : nous n'existons pas encore à leurs yeux.

— Ah bon ? Mais que faites-vous de notre conversation de tout à l'heure avec le député, sur la grève ?

Tout dépend du statut du fantôme, avais-je répondu. Henri-Gustave est un personnage à part entière. Il peut donc nous parler. Ceux-là ne sont que les figurants de la scène qu'il a bien voulu nous mettre sous les yeux.

Visiblement, mes explications n'avaient pas satisfait l'ami. Je les reprends maintenant, histoire de répondre à son interrogation, et pour cela d'abord je reviens sur l'identité de notre hôte.

— Je vous rappelle, premièrement, qu'Henri-Gustave Joly était un peu plus qu'un simple député. Du 8 mars 1878 au 30 octobre 1879, soit pendant un an et demi environ, il a été Premier ministre de la Province de Québec et commissaire de l'Agriculture et des Travaux publics. Auparavant, c'est vrai, il a été député de Lotbinière, mais ce rouge s'était opposé à l'idée de la Confédération. Alors il n'a pas été réélu à Ottawa.

— Donc, celui-là, le type à lunettes, c'est son fils ? insiste mon compagnon.

— Son petit-fils. Depuis 1911, il est le huitième seigneur des lieux. Son père s'appelle Edmond-Gustave.

— Encore un Gustave !

— Dans les grandes familles, on donne souvent le même prénom aux fils aînés d'une génération à l'autre. C'est une façon d'asseoir la dynastie. Comme si la répétition anoblissait la lignée, la légitimait, en quelque sorte. Cette précaution est rendue nécessaire même en France, où les lignées sont parfois tortueuses et les traces encore fraîches. Alors vous pensez bien, au Canada français !

— Où se trouve donc cet Edmond-Gustave ?

— Hélas pour lui, et pour ses gens qui l'aimaient, paraît-il, il meurt à 52 ans. On ne sait pas de quoi. Il n'aura été le seigneur de Lotbinière que pendant trois ans, même s'il secondait son père dans ses fonctions depuis un bon moment.

— Son père ? Qui est-ce au juste ? Ah je suis perdu, soupire l'ami. C'était quand même plus simple de jouer les Adam et Ève sur la grève !

— Son père ? Nous l'avons croisé en bas. Souvenez-vous : Henri-Gustave Joly ! Il n'a pas eu le temps de nous le préciser, mais c'est lui qui a eu l'idée de reprendre le nom de sa mère, Julie-Christine Chartier de Lotbinière, pour l'accoler à celui de la seigneurie, avec son propre nom. En principe, le nom de Lotbinière aurait dû s'éteindre avec la mort de Julie-Christine, puisque le père n'avait eu que des filles. Le bal, la Suisse, les ancêtres Polignac, vous me suivez ?

— Dites donc, vous ne seriez pas encore une fois en train d'écrire un roman à partir de deux fois rien ? plaisante l'ami, en observant le cocher qui fait boire les chevaux, un peu à l'écart, devant les dépendances.

Pourquoi pas? Cependant, mon compagnon tient à ce que les choses soient bien claires. D'accord pour reconnaître des mérites à l'historien et au romancier, mais de là à s'en laisser conter, même à titre amical… Non, non il ne va pas gober tout ce que je lui ai débité, en tapinois, dans le fossé. Je me suis faite conciliante.

— Admettez d'abord avec moi que tout ce domaine, ce n'est pas « rien », comme vous dites, et puis, je vous assure que, si c'est un roman, tout y est vrai.

— Même la visite de l'impératrice Zita? Les Habsbourg en fuite, tout de même! Une Bourbon-Parme! s'étonne-t-il, malicieusement, avant de réciter : reine de Hongrie, reine de Bohême, de Dalmatie, de Croatie, de Slavonie, de Galicie, de Lodomérie et d'Illyrie ; reine de Jérusalem ; archiduchesse d'Autriche, grande-duchesse de Toscane et de Cracovie ; duchesse de Lorraine, de Bar, de Salzbourg, de Styrie, de Carinthie, d'Ukraine et de Bucovine…

Je reçois sa litanie, bouche bée, dans une sorte de garde-à-vous instinctif. Où a-t-il appris tout ça?

— Grande-duchesse de Siebenburgen, marquise de Moravie ; duchesse de Haute et Basse Silésie, de Modène, Plaisance et Guastalla, d'Auschwitz, de Zator, de Teschen, du Frioul, de Raguste et de Zara…

— Assez!

Je fais mine de me boucher les oreilles, mais il faut reconnaître que l'énumération de ces titres fait entendre une musique *Mittel Europa* qui impressionne par la diversité de ses composantes. L'ami ne se laisse pas démonter.

— Comtesse-princesse de Habsbourg et du Tyrol, de Kyburg, de Goritz et de Gradisca, princesse de Trente et de Brixen ; marquise du

Haut et Bas Lausitz et d'Istrie ; souveraine de Tries, de Cattaro et de la Marche des Vendes.

Assise dans le fossé, le dos appuyé contre la dénivellation, je me résigne à subir jusqu'au bout la liste des titres de Zita. Après tout, si ça l'amuse.

— Grande voïvode de la Voïvodine de Serbie ; infante d'Espagne et, enfin…

Je dresse l'oreille.

— Princesse du Portugal et de Parme.

L'ami semble hors d'haleine. Ce que c'est, la mémoire, tout de même. Et pas seulement de certains poèmes de Nerval. Je peux enfin répliquer à son objection d'invraisemblance.

— Et pourquoi cette éminente personne n'aurait-elle pas pu se réfugier à Québec ? Vous qui en connaissez visiblement un bout sur l'impératrice Zita, vous devriez aussi connaître cet épisode de sa vie. D'ailleurs, en vous écoutant réciter, je me suis demandé si vous n'étiez pas un peu chouan sur les bords…

— Ainsi c'est bien vrai, murmure l'ami.

— Chut ! Il se passe quelque chose. Approchons-nous.

La compagnie a pris place sur de grands fauteuils installés sur le gazon, devant la demeure, à l'ombre des érables et des chênes du grand-père. L'impératrice parle un français très pur et délicieux.

— Je suis ravi d'accueillir votre Altesse, répond Monsieur Alain, tandis qu'on sert des rafraîchissements, avant le repas. N'y voyez aucune familiarité de ma part, mais j'oserais avouer que votre visite me rappelle l'histoire de la reine de Bohême et de ses sept châteaux. Vous connaissez ce conte ? s'enquiert-il aussitôt, obligeant.

— Croyez-moi, tout est absolument vrai, ai-je répété une dernière fois à l'ami, curieux du conte qu'on nous annonçait.

L'impératrice, qui affiche elle aussi une mine intriguée, bat le rappel des jeunes personnes de sa suite. On peut commencer. Au préalable, l'hôte met en branle son imagination par une série de petits gestes quasi imperceptibles. Il ferme les yeux, les ouvre. Avec lui pas de « Il était une fois », et pourtant l'incipit est efficace. Monsieur Alain agronome. Monsieur Alain seigneur. Monsieur Alain conteur. Sans hésitation, je choisis le dernier.

« Dans le jardin d'un couvent, commence-t-il, situé en hauteur, non loin de Prague, avec ses ruelles, ses chevaux et ses façades à encorbellement, toutes choses inaccessibles et aperçues de là-haut, depuis la rambarde, un petit groupe de nonnains goûte la douceur du soir. En cette année 1458, Prague est une ville opulente, prospère, qui s'est déjà scindée en une ville vieille et une ville nouvelle. Il y a aussi un château, fier et inaccessible. Des roses trémières grimpent sur la muraille derrière laquelle, dans une chambre close, aux tentures fermées, le jeune roi Ladislas se meurt, sans avoir eu le temps d'épouser la princesse Madeleine, petite fiancée que le roi Charles VII lui a envoyée de France. Elle n'aura même pas eu le temps d'être veuve, cette jeune fille de quinze ans qui, dans quelques jours, rebroussera chemin en apprenant la mort de son royal promis. »

L'impératrice Zita, soit tout ensemble la jeune veuve qu'elle fut jadis, la femme mûre qu'elle est devenue et la mère ruinée de huit enfants impériaux, bat des cils. Son hôte veut-il la flatter ? Elle le sait anglophile, même si elle n'aime pas les Anglais. Peut-être veut-il simplement lui plaire ou lui rendre hommage. À la différence des États-Unis d'Amérique qui, en dépit d'une fâcheuse révolution, lui ont également fait bon accueil – les États-Unis, c'est-à-dire le président de l'heure, Monsieur Roosevelt, et la première dame communiste –, le Canada est demeuré loyal au roi d'Angleterre. C'est un grand bienfait que d'aimer son roi. Et puis, Monsieur Alain est un homme du monde, à n'en pas douter. L'impératrice se racle la gorge, et on dirait une tourterelle dans l'encoignure d'une corniche, sur un toit de Prague, et qui appelle au secours.

— Dites-moi, Monsieur Joly, qui est l'auteur de ce conte ?

— Son nom est Charles Foley, votre Altesse.

— Et vous le récitez de mémoire ?

— Je résume à grands traits, votre Altesse, mais l'essentiel y est. Dans le format in-octavo de l'éditeur, le conte doit bien faire dans les trois cents pages. Je vous montrerai l'ouvrage tout à l'heure, dans ma bibliothèque.

— Enfin, maman ! s'impatiente l'archiduchesse Élisabeth à qui l'exil et la nécessité de travailler pour payer ses études ont donné des manières directes. Pourquoi interrompre notre hôte? Nous avons hâte de connaître la suite!

L'impératrice hoche la tête.

— Poursuivez, Monsieur Joly.

« Dans le jardin du couvent, une jeune bénédictine se distingue du groupe par sa gravité, sa douceur et sa beauté, toutes qualités irradiant sous le voile. Cousine du roi Ladislas, la nonnette aurait pu prétendre au trône de Bohême, mais les sept grands vassaux du roi Ladislas ont veillé à ce qu'il n'en soit rien, en l'enfermant, dès sa naissance, dans ce couvent où nulle religieuse, hormis la prieure, ne connaît la véritable identité de la petite Jeanne, pas même Jeanne elle-même. C'était sans compter sur les histoires racontées par Anturta, sa vieille nourrice. Chaque jour, les contes de la vieille femme préparaient l'esprit de l'enfant à la révélation qui viendrait à son heure.

« Chacun des grands vassaux avait la garde d'un château, situé successivement à Ruthenberg, Nilsa, Wassdorf, Koeplitz, Tilsen, Zidweiss et Loenisgradtz. C'est à Loenisgradtz que vivait Podiebrad, le plus redoutable et le plus fier des grands vassaux. Naguère, ce George Podiebrad s'était battu en Allemagne pour le roi Ladislas et l'en avait ramené sain et sauf. Grâce à lui, la Bohême avait retrouvé ses frontières et connaissait la paix. Mais, si le roi régnait, Podiebrad gouvernait, et il n'entendait pas perdre le pouvoir à la mort du jeune roi. Pour tout dire, les grands vassaux étaient de méchants seigneurs qui ne craignaient et n'obéissaient qu'au plus puissant d'entre eux.

« Heureusement, il existait un rite d'allégeance auquel les grands vassaux et le roi devaient se plier et qui assignait une place à chacun,

ÉTANG PRÈS DU MANOIR
DE LOTBINIÈRE

source d'ordre et de stabilité pour le royaume. Avant de monter sur le trône, tout nouveau roi devait faire la tournée de ses châteaux et en obtenir les clés de leurs gardiens respectifs, en même temps que la pierre précieuse confiée à chacun – émeraude, topaze, saphir et autres cailloux qui orneraient sa couronne, au moment du sacre. C'est ainsi que le roi Ladislas avait dû, adolescent, faire la tournée de ses sept châteaux pour y obtenir l'allégeance de ses vassaux. Et c'est ainsi que son successeur, quel qu'il soit, devait en faire autant. Mais qui serait son successeur ? »

Le petit cercle d'auditeurs, instinctivement, se resserra. Madame Agnès, qui a appris le français en prenant mari, sans toutefois en maîtriser toutes les nuances, connaît assez cette langue pour savoir que le conteur a réussi à captiver son auditoire. Même les bonnes sont sous le charme. Surtout les bonnes, devrait savoir Madame Agnès, puisque de tout temps, c'est dans les cuisines, près du feu, qu'on raconte d'abord des histoires, tout en plumant les poulets et remuant la soupe.

« Ce même jour, l'évêque de Prague, le docte Gregorius, vint tirer la petite Jeanne de son couvent pour l'emmener au château où faire valoir ses titres. Bien sûr, un peu plus tôt, le ciel avait parlé, comme il est d'usage en de telles circonstances, et deux comètes avaient signifié que l'heure était venue. Mais peut-être voulez-vous savoir ce que les grands vassaux allaient maintenant apprendre de la bouche du docte Gregorius, dans la salle d'audience du château ? interroge Monsieur Alain à la ronde, sûr de la réponse. Eh bien, voici. D'abord le savant y alla d'une précision généalogique. La mère du roi Ladislas s'appelait Élisabeth, rappela-t-il aux vassaux. »

Dans l'auditoire, l'archiduchesse se troubla, sous l'œil imperturbable du conteur, qui poursuivit.

« Élisabeth avait une sœur plus jeune, poursuivit l'évêque. Elle s'appelait Mathilde. Toutes deux étaient filles de l'empereur Sigismond. La cadette avait épousé le duc de Silésie, qui mourut peu de temps après les noces, non sans avoir assuré sa descendance. La jeune veuve Mathilde mourut en couches. L'enfant qu'elle mit au monde fut appelée Jeanne. Celle-ci était de deux ans la cadette de son cousin, le roi Ladislas.

« L'évêque Gregorius donna soudain de la voix.

« Le roi est mort d'une maladie inconnue des grands vassaux mais fatale aux monarques de dix-huit ans. Par conséquent, le trône de Bohême revient maintenant de droit à l'enfant Jeanne.

« Stupeur des vassaux. Ricanements. »

Monsieur Alain est lancé.

— C'est tout à fait contraire à la loi salique, me chuchote l'ami à l'oreille. Le royaume en sortira affaibli.

— Chut !

« À ces mots, reprit Monsieur Alain, la nonnain fit tomber son voile et tous purent voir la gracieuse et pure jeune fille qui accompagnait l'évêque Gregorius. De quoi le roi est-il mort ? le savez-vous ? demanda Gregorius à l'assemblée d'hommes en armes. De la peste ! martela-t-il, en roulant des yeux. Alors, les grands vassaux, furieux qu'on voulût les assujettir à une fillette, effrayés par ces bubons qu'ils n'avaient pas su voir, s'enfuirent dans la nuit et regagnèrent leurs châteaux respectifs, persuadés que le plus arrogant et le plus puissant d'entre eux, George Podiebrad, saurait s'acquitter de la mission que, avant de partir, ils avaient décidé de lui confier : faire signer à l'enfant l'acte de renoncement au trône ou alors…

« Des vassaux bien cruels, commenta Monsieur Alain.

« Cependant, la petite Jeanne, que ces événements avaient révélé à elle-même, montrait déjà la grandeur d'âme et la détermination qu'on attend d'une reine. Son premier geste fut d'aller prier au chevet de son cousin, sans se préoccuper de la contagion. Elle ne craignait pas la peste, qui ne pouvait l'atteindre. Elle tirait cette conviction non pas de son sang royal, la mort de son cousin disait bien qu'une telle idée aurait été présomptueuse. La petite Jeanne pensait ainsi parce que, grâce à Dieu, elle savait que le mal n'avait aucune prise sur les âmes pures. Ainsi l'avait affirmé l'évêque Gregorius. Du coup, un fait la troublait. Le jeune roi Ladislas aurait-il commis une faute puisque la peste avait eu raison de lui ? Dans le doute, aussi bien prier pour le repos de son âme. Toute la nuit, Jeanne pria. Et tandis qu'elle priait, Podiebrad s'introduisit dans la chambre royale. Là, vers minuit, s'affrontèrent le grand vassal et l'aspirante reine, seuls, à la lueur des flammes de l'âtre, tandis que la dépouille de celui qui n'était déjà plus le roi Ladislas reposait sur sa couche funèbre. »

Monsieur Alain promena un regard sur l'assistance. Les bustes se penchaient en avant, dans l'attente de la suite. Les poitrines palpitaient. Rassuré, il reprit.

« Mais pas plus que la peste, les menaces de Podiebrad n'eurent de prise sur la femme enfant et, au matin, le grand vassal en fut réduit à repartir sans avoir accompli sa mission ni son forfait. Pourtant, il s'en était fallu de peu. Ce qui avait arrêté sa main, au cours de l'affrontement nocturne, je le laisse découvrir à vos Altesses dans ce grand livre qu'elles voudront peut-être lire et que je leur prêterai volontiers. »

Monsieur Alain ne put réprimer un sourire en voyant les regards suppliants des archiduchesses et des petites princesses du Luxembourg.

— Poursuivez, Monsieur Joly, je vous en prie, fit l'impératrice Zita.

« Mais l'enfant Jeanne n'était pas encore reine. Car se moquer de la peste n'est rien. Faire entendre raison à un grand et méchant vassal est chose facile si l'on est résolue. Mais pour être reine et incontestée, la petite Jeanne devait maintenant entreprendre la tournée de ses sept châteaux afin d'obtenir l'allégeance des grands vassaux qui y habitaient. Elle savait aussi qu'elle retrouverait le fier George Podiebrad dans le dernier château, celui de Loenisgradtz. Et qui sait alors comment se terminerait l'ultime affrontement ?

« Avant tout, le choix de la reine devait être ratifié par l'Assemblée des États de Bohême, qui comptait alors quarante-six électeurs, dix-huit seigneurs, quatorze chevaliers et quatorze bourgeois. Comme on le voit, les registres sont très précis. Les délibérations commencèrent à l'hôtel de ville de Prague, le 27 février 1458. »

— Ah ! tout de même, s'exclame l'ami, sur le ton chuchoté qu'il donnait à ses remarques depuis le début. Voilà enfin un peu de démocratie introduite dans l'affaire.

Pourquoi cette ironie ? Il savait bien, pourtant, que de tous temps, sous tous les cieux, dans toutes les sociétés humaines, la monarchie absolue n'a jamais pu s'imposer très longtemps. Pour ne pas l'avoir compris, les Tarquins n'ont-ils pas été chassés de la Rome primitive ?

— Louis XIV est bien mort dans son lit, rétorque l'ami.

— Oui, mais en pourrissant littéralement sur pied : châtiment du Ciel, ai-je ajouté – cette précision faite, parce qu'il est toujours bon d'en remettre un peu, comme tu le sais maintenant, lecteur.

— Sans parler du sort réservé à Louis XVI !

Nous causons histoire ancienne, mais l'impératrice Zita est plongée dans l'histoire immédiate. Elle songe aux patriotes autrichiens. Personne n'était dupe des résultats grotesques obtenus au référendum qui avait suivi l'Anchluss. Les patriotes autrichiens n'ont pas rendu les armes et l'impératrice sait qu'ils sont nombreux, comme en 1914 face aux ambitions annexionnistes du Kaiser, à voir dans la couronne des Habsbourg l'étendard à brandir devant une démocratie dévoyée. Mais comment leur venir en aide ? Monsieur Alain fait comme s'il n'avait pas remarqué l'air absent de la visiteuse.

« L'assemblée des États de Bohême ayant parlé, poursuit-il, l'enfant-reine se met en route vers ses sept châteaux. Chaque fois, elle fait la même sommation devant les remparts. On abaisse le pont-levis, on la laisse entrer, mais la fillette n'est jamais au bout de ses peines. Car une fois repliés sur leur fief, les grands vassaux n'ont rien perdu de leur hostilité à l'endroit de la reine. Cependant, ils ont changé de stratégie. Pourquoi affronter directement une enfant qui surgit caparaçonnée et est reconnue par le peuple et les édiles de Prague ? Mieux valait ruser. Voilà pourquoi, dans chaque château, la petite Jeanne doit affronter un grand danger. C'est tantôt le poison qu'on a glissé dans les viandes servies au banquet, mais que, avertie par un pressentiment, elle n'a pas touchées. Tantôt un lit grouillant de vipères sous une pile d'oreillers et de coussins. Tantôt un puits sans fond où on la pousse avec traîtrise, chute qui aurait pu lui être fatale si sa robe, miraculeusement, n'avait accroché une pique au passage. Mais chaque fois, aussi terrible que soit le piège, l'enfant-reine surmonte l'épreuve et se remet en route avec les pierres précieuses et les clefs des châteaux conquis, forte de l'allégeance d'un grand vassal dépité. »

— A-t-elle agi seule ? interroge doucement l'impératrice, reprise par le conte. Sans coup férir ?

« Bien sûr que non, Votre Altesse, répond Monsieur Alain que ce français suranné fait sourire et qui sonne comme du chinois aux oreilles de Madame Agnès. La petite reine chemine entourée de chevaliers et d'une milice levée spécialement pour assurer sa protection. Tous ces gens d'armes, du reste, ont dû se battre férocement à Nilsa, dans le premier château, où ils ont été accueillis avec de la poix, de l'huile bouillante et autres amabilités. Il en a résulté un grand massacre, dans le camp du vassal Jaromir, massacre auquel la petite reine a dû se résoudre, la mort dans l'âme, mais qui a eu un effet dissuasif sur les autres grands vassaux. Dès lors, ces derniers ont renoncé à l'usage de la force et opté pour la ruse. Mais l'enfant a aussi un allié d'une autre espèce. C'est la petite clochette d'or que lui a confiée le docte Gregorius, le jour de son départ. Mon enfant, lui a-t-il dit, si jamais vous vous trouvez seule dans un très grand péril et ayant perdu tout espoir, faites tinter cet ultime secours et de l'aide vous sera aussitôt apportée. Bien. L'enfant-reine pouvait être confiante. De plus, il y avait le connétable. »

— Le connétable, s'étonne la compagnie sous les arbres, presque d'une seule voix.

« Oui, reprend Monsieur Alain. Un mystérieux chevalier, surgi dans la mêlée devant le premier château, et qui depuis n'avait jamais retiré à la reine sa protection. Même si plus d'une fois sa conduite, qui alternait absences et présences, sans révéler son identité ni les motifs d'une aussi indéfectible loyauté, avait paru mystérieuse à l'enfant-reine. »

L'intendante s'approche et murmure quelques mots à l'oreille de Madame Agnès. Signe discret de l'épouse au mari.
— Votre Altesse, s'excuse Monsieur Alain, en se levant, je crains de devoir interrompre ici mon récit, car le repas est servi. Mais rassurez-vous, l'histoire se termine bien. Cependant, je m'en voudrais de la déflorer et de vous en gâcher la lecture.

Assise dans les fourrés, je pense alors que Monsieur Alain parle lui aussi un français suranné, qu'il aime bien faire monter sous les grands chênes d'Henri-Gustave. Il n'empêche que Monsieur Alain mourra bientôt, et cela bien avant l'impératrice Zita, qui vécut en exil pendant plus de soixante ans et mourut, elle, presque centenaire. À la fin, elle ne sortait plus des deux pièces du couvent que des religieuses, en Suisse, avaient mises à la disposition de la célèbre mendiante. En comparaison, comme la rustique mais spacieuse maison Saint-Joseph, dite Spencer Grange, mise à sa disposition par les sœurs de Jeanne d'Arc, devait lui paraître grande. Même si les deux bonnes évoquées plus tôt, étant donné le dénuement impérial, étaient sans doute plutôt deux sœurs de Jeanne d'Arc qui avaient accepté avec curiosité, ce jour-là, la proposition d'une promenade dominicale au Domaine Joly.

Car Zita était pauvre. La famille impériale devait voir à tout elle-même, depuis la confection des rideaux de Spencer Grange jusqu'aux moyens d'assurer sa subsistance, la vente de quelques bijoux aidant. Mais pour subvenir aux besoins de la vie matérielle pendant soixante années d'exil et élever une couvée d'archiducs et d'archiduchesses, c'est un trésor royal qu'il aurait fallu. Et aussi, pourquoi pas ? le travail salarié. Les temps avaient changé. Mettre la noblesse au travail ne choquait personne, au contraire. Je m'interromps. « Les temps avaient changé. » Quelle force souveraine – la Fortune ? le destin ? le temps ? était à l'œuvre sous l'apparence lisse du lieu commun. Les temps changent, et puis après ? Parménide ou le premier venu, chacun reprend maintenant l'évidence. L'histoire devient alors une série d'images d'Épinal dont la succession paraît aller de soi, comme les vignettes colorées qui, dans mon enfance, racontaient l'histoire du vêtement dans les couvertures intérieures du Petit Larousse. Ces gravures de mode auront fait rêver plus d'un enfant que les jeux de ballon et la compagnie des autres enfants finissaient par lasser. Devenus adultes, ils en auront été intrigués. Car les images ne disent pas l'essentiel. Pourquoi est-il nécessaire un jour de glisser de grandes cages en bois sous les jupes des femmes et pourquoi faut-il un autre jour les enlever ? Pourquoi là des guêtres et ici des haut-de-forme ? Qui décide de la mode ? Sans que leurs auteurs l'aient cherché, par la démarche raisonnée de l'inventaire, pourquoi les planches de *L'Encyclopédie* rendent-elles ridicules les perruques que portent encore ces messieurs les philosophes ? Pourquoi en irait-il autrement des idées et des événements ? Qui décide de leur justesse, de leur faveur, de leur discrédit ? Et au nom de quoi ?

Monsieur Alain ne verra pas s'élever le mur de Berlin, un temps toléré dans le paysage urbain, en dépit de toutes les protestations, puis démoli, malgré tous les barbelés. Il meurt en 1954. Mais il s'en est fallu de peu que l'impératrice Zita, reine de Bohême, reine de Hongrie, etc., née le 9 mai 1892, ne voie tomber le mur, puisqu'elle meurt le 14 mars 1989.

Rêveurs, l'ami et moi laissons traîner notre regard sur la façade de Maple House et sur de grandes plates-bandes monochromes se déployant vers la gauche. Un parterre blanc, à la beauté subtile, retient notre attention. L'éclat du blanc, bien sûr, mais aussi chaque élément du tableau, la variété des espèces, les formes de chacune, leurs dimensions variables, l'infini dégradé des nuances dans ce qui est réputé une non-couleur, ce parterre exprime peut-être une vérité : on peut creuser le même sillon et ne pas se répéter.

Nous avons fait quelques pas pour admirer l'ouvrage de plus près. L'instant d'après, comme nous voulons retrouver la petite société réunie sous les arbres, elle a disparu. Certes Maple House est là, ses arbres, ses parterres et, au loin, ses grands noyers encore debout. Mais des fantômes, plus aucune trace. L'ami et moi nous nous regardons : serions-nous cette fois tout à fait seuls ? Une voix nous détrompe.
— Ma mère aimait beaucoup son jardin monochrome. Vous n'ignorez pas qu'elle s'est inspirée du jardin de Sissinghurst pour concevoir le sien.

L'homme, chaussé de hautes bottes, nous regarde d'un air engageant.
— Sissinghurst, Angleterre… vous voyez un peu ? Permettez-moi de

me présenter, ajoute-t-il devant nos mines perplexes : Edmond Joly de Lotbinière. Je suis le fils de Monsieur Alain et de Madame Agnès.

Virginia Woolf avait séjourné à plusieurs reprises à Sissinghurst, chez Vita Sackville-West, avant qu'une querelle d'héritage ne prive son amie de la grande demeure familiale, au seul motif de son sexe, et ne lègue le château à des cousins. Cela – je pense à leur intimité amoureuse – s'était-il passé devant la grande cheminée aux armoiries familiales ? Ou encore dans la chambre au plafond en caissons ? Dans quelle pièce, au juste, les deux femmes s'étaient-elles aimées, ce qui s'appelle s'aimer, vraiment et complètement ? Et que s'était-il passé ensuite pour que cet amour évolue, quelles autres amours, quels maris, quels travaux littéraires respectifs avaient peu à peu éloigné Vita de son amie Virginia et permis à la figure littéraire d'Orlando, se jouant des sexes et des siècles, de se faufiler dans les interstices du souvenir ? Tout en admirant le jardin monochrome de Sissinghurst, et tandis que l'une couve d'un œil de mère des garçons qui grimpent aux arbres, deux femmes prêtent l'oreille aux mondes différents qui résonnent en elles. Ainsi la très française seigneurie de Lotbinière peut-elle être liée à un château anglais et à ses dépendances, tandis que, dans l'intervalle, s'écrivent des pages parmi les plus enlevées de la littérature anglaise du XXᵉ siècle. Pour Virginia Woolf, *Orlando* aura été une récréation entre deux romans expérimentaux. Pour Madame Agnès, le jardin monochrome aura été une expérience entre deux certitudes. On ne peut songer à la mort tous les jours.

Sur le plan intellectuel, et ne parlons pas des idées esthétiques, tout séparait Virginia Woolf et Vita Sackville-West. Les beaux esprits de Bloomsbury ne s'y étaient pas trompés qui toisèrent du haut de leur intelligence et de leur vision de l'art l'amazone titrée dont leur amie leur imposa la présence, en quelques occasions. Déjà à cette époque, « les temps avaient changé », et l'aristocratie de l'esprit était désormais celle qui comptait. Quant à la littérature, le moins que l'on puisse dire, c'est que celle que pratiquait Vita Sackville-West n'était pas vraiment un passeport dans les cercles réunissant Lytton Strachey, Roger Fry et Meynard Keynes. Les romans de Vita, qui avaient du succès, ont régulièrement renfloué la trésorerie de la Hogart Press mise à mal par la publication répétée des fruits étranges tirés du cerveau de Virginia, lesquels devaient paraître tout à fait illisibles à son amie.

L'amour a besoin de contrastes. L'imagination aussi. Celle de Virginia Woolf s'emparait de l'histoire d'Angleterre qu'elle faisait défiler dans la salle à manger de Sissinghurst, dans ses écuries, dans ses bois, près de l'étang, dans le lit de Vita, déserté par un mari complaisant, du reste amateur de garçons, tandis que l'épouse aimait les femmes. Il n'est jusqu'aux visages des conquêtes de l'inconstante Vita qui ne furent broyés eux aussi dans le moulin romanesque de Virginia. Comme épice amoureuse, on ne pouvait trouver mieux que Sissinghurst.

Madame Agnès ne sait rien de cette liaison sapphique dont elle est l'exacte contemporaine. Mais l'idée saugrenue d'un jardin tout blanc, expérimentée à Sissinghurst, a dû traîner dans les pages de quelque magazine sur papier glacé, après un sujet sur les Kew Gardens. Elle l'aura lu par hasard et aura voulu l'acclimater au domaine. Edmond l'anglophile, que sa carrière de diplomate retenait souvent à Londres, aura applaudi.

Il n'en sait encore rien, tandis qu'aimablement il croit nous faire découvrir les lieux, mais Edmond Joly sera le dernier seigneur du domaine. Il en va des fonctions comme des institutions qui les incarnent : elles passent et ne pèsent pas plus lourd que les cages de bois blanc qui façonnent les robes portées sous le Premier Empire, bientôt jugées désuètes et jetées aux orties. Comme lorsqu'elle compte les âmes, la langue thésaurise ici aussi. Voilà pourquoi, même si les orties ne poussent pas au Canada français, les frocs ne cessent d'y être jetés, les régimes de se succéder, les Habsbourg d'être en fuite, n'en déplaise à l'impératrice Zita. Otto, plus tard député élu au Parlement européen, l'avait compris. Il choisit d'abdiquer sans états d'âme. Zita, elle, a voulu tenir son rang jusqu'au bout et jouer son rôle, répétait-elle, de ciment entre les nombreuses nations de l'Empire austro-hongrois. L'ennui, c'est qu'il ne s'agissait plus de brèches à colmater : cet Empire-là n'existait plus. Qu'importe. Zita, petite reine de Bohême erre entre ses sept châteaux et n'abdique pas.

Mais alors d'où vient qu'en plein XXIe siècle, à Sainte-Catherine de Fossambault, suivant l'appellation en vigueur au siècle précédent, on vous montre encore avec respect, au manoir, la pièce où le seigneur Antoine Juchereau Duchesnay recevait chaque matin les doléances de ses censitaires ? Que non loin de Saint-Jean-Port-Joli, on veuille reconstruire le manoir seigneurial de Philippe Aubert de Gaspé, dont l'incendie de 1909 n'a rien laissé subsister, ni four, ni moulin, ni pierre sur pierre, comme dit l'Évangile. Ce n'est pas quelque nostalgie de l'Ancien Régime qui commande ce respect pour l'histoire, dont les signes sont manifestes jusque dans les demeures à portique de Savannah, sur les façades néo-classiques des banques du Nouveau Monde et tout aussi bien sur celles des grands hôtels de Grenoble où le bourgeois que déteste Stendhal va en villégiature, et aussi sur les façades des bibliothèques municipales, sur celles des Bourses, de tous les lieux d'un pouvoir nouveau en quête de symboles hérités du passé. Observer la présence entêtante de ces signes ne revient pas à vouloir restaurer, au sens légitimiste du terme, l'ordre passé. Il s'agit de donner des assises au présent, faute de quoi il n'y a plus que cette réalité angoissante qui vous a fait naître la veille, amnésique et seul.

— À cette nuance près, objecte Edmond Joly, ayant lu dans mes pensées, que l'architecture néo-classique est vide. Elle rassure peut-être les nouveaux mariés qui se font photographier devant, mais ses monuments sont vides. Il leur manque l'invention montrée jadis par l'art classique qui s'ignorait tel au moment où il inventait. Il leur manque aussi la vie des choses manipulées, usées, abîmées par des êtres de chair et d'os, de ces êtres qui, par exemple, un jour, se décident pour une grande pelouse plutôt que pour un parterre de fleurs.

— Votre mère, ai-je murmuré, c'était son idée, cette pelouse, au lieu des fleurs.

— N'avait-elle pas raison ? réplique le dernier seigneur de Joly Lotbinière, que je sens sur la défensive.

Ma remarque n'avait pourtant rien de désobligeant.

— En trois siècles, ajoute-t-il, mes ancêtres ont fait de ce lieu un véritable écrin de verdure assorti d'un petit complexe industriel avec moulin, fonderie, sucrerie, donnant du travail à des centaines de villageois. Mes ancêtres ont toujours fait preuve d'un goût très sûr et ils ont procédé à une mise en valeur raisonnée et raisonnable des lieux et des ressources dont ils avaient hérité.

— Il idéalise un peu, me souffle l'ami dans le creux de l'oreille.

Edmond Joly tourne vers ce dernier un regard étonné.

— Ne vous méprenez pas, monsieur. Quand je suis rentré de Londres, l'année dernière, j'ai compris tout de suite que les temps avaient changé, comme vous autres vivants le répétez sans cesse. Comment le chef de cabinet du Gouverneur général pourrait-il faire preuve d'aveuglement ? Bien au contraire. Sachez que l'efficacité s'accompagne de lucidité. La province de Québec avait changé. L'esprit de ses dirigeants avait changé. Les mentalités avaient changé.

Je me risque à évoquer l'inconcevable.

— Vous êtes donc au courant ?

— Mais bien sûr ! Je n'ai eu d'autre choix que de céder la seigneurie au gouvernement de la province, dès lors qu'il s'agissait d'une expropriation en bonne et due forme. On m'a expliqué alors que Maple House servirait à accueillir des visiteurs de marque en visite officielle au Québec. Permettez-moi d'en douter, étant donné l'état des finances publiques, et puis je rappelle qu'accueillir des visiteurs de marque, c'est précisément ce qu'ont fait, et à leurs frais, mes ancêtres, depuis toujours. *Sic transit gloria mundi.*

Ainsi nous étions arrivés à l'année 1967.

— Je le répète : notre famille n'a jamais attendu l'aide de l'État pour faire preuve d'hospitalité. Pas seulement à l'égard de têtes couronnées. Des chefs d'État, leurs épouses, leurs filles, leurs maris. La diplomatie, madame, monsieur, a besoin de hauts lieux et d'une élite, votre époque, à tout aplatir, est en train de l'oublier.

— Ne soyez pas amer, monsieur Joly.

— Je vous parle de mémoire, madame. L'amertume n'a rien à voir là-dedans.

— De mémoire et de continuité, ai-je rétorqué, car il s'agit bien de transformation.

UN COIN DU JARDIN SEIGNEURIAL
DE LOTBINIÈRE

— Je vous prie d'utiliser le mot juste, madame : il s'agit d'expropriation. Devrais-je m'y résoudre de gaieté de cœur ?

Edmond Joly ne pouvait envisager la question que du seul point de vue du propriétaire, c'est entendu. De plus, son sens de la propriété s'étendait bien au-delà du cadastre pour plonger dans le temps. Maple House n'avait pas de galerie d'ancêtres à exhiber comme le fait complaisamment la plus modeste gentilhommière du Vendômois. Néanmoins, neuf seigneurs, dont une seigneuresse, hantaient le domaine. Ce n'était pas rien. Des êtres tangibles, nous en avions eu la preuve au cours de ces dernières heures, tandis que l'État ne peut être au mieux qu'une idée. Il est facile de deviner vers quoi se tournera l'esprit rêveur.

Certains lieux sont des gouffres. Sous chaque pas, des portes s'ouvrent, des allées se déploient, des silhouettes passent furtivement. Et n'en doute pas une seconde, lecteur, le passereau qui, tout là-haut, pousse ses trilles à intervalles mesurés, caché dans les branches du grand mélèze, chante de toute éternité. Il chante quand la terre crache de grandes giclures de feu et se fend de blocs erratiques. Chante quand le canot des Abénaquis remonte la rivière jusqu'au poste de traite, pagaies silencieuses, tignasses lustrées, pluie, vent, soleil. Chante quand Julie-Christine, pour la première fois, pose sur le sol de son domaine un pied non plus délicatement chaussé, comme l'est celui d'une débutante dans une salle de bal, mais pose celui, sanglé dans de confortables bottes, d'une seigneuresse du Nouveau Monde. Passereau d'éternité, chanteras-tu encore en ce lieu si son propriétaire est une entité politique ? Qui habite le domaine qui appartenant à tous n'appartient à personne ?

4

C'est un malin, il ne sort jamais au grand jour d'un seul élan. Il risque d'abord quelques mouvements d'antennes, qui n'auront l'air désordonné que pour l'observateur humain, presque toujours dégoûté. Ce dégoût menaçant, les antennes savent le détecter tout aussi bien, même si ce n'est pas ce qui retient l'insecte de sortir de sa cachette. Mais son instinct lui fait appréhender les conséquences de ce dégoût, la chaussure aussitôt enlevée, le claquement sans appel, la substance blanchâtre qui s'écoule du cadavre écrasé. Ce sort, l'insecte pour l'heure toujours vivant sait qu'il doit y échapper, que nombreux sont ceux parmi ses congénères qui n'ont pas su l'éviter, ce qui ne l'empêche pas, lui, de tenir à sa dérisoire vie d'insecte, de toutes ses forces de créature vivante. Que son apparence soit repoussante n'y change rien. Cet insecte-là sait qu'il peut survivre à presque tout, sauf aux coups de semelles bien visés. Alors les antennes s'agitent. Personne en vue ? Enhardi, le cafard sort au grand jour. C'est un cafard solitaire, anomalie de son espèce. Un cafard individualiste en quelque sorte, de surcroît qui ambitionne de vivre une vie de cafard pleine et entière, avec sa lumière et ses ombres.

— Vous êtes folle, dit l'ami en riant. Mais poursuivez, vous m'intéressez. Alors les pérégrinations de ce cafard l'ont mené à Maple House, c'est bien ça ?

— Vous n'y êtes pas du tout. Le monde a pris fin. Le cafard individualiste ignore encore l'étendue de sa solitude.

— Il n'est tout de même pas le seul spécimen de son espèce à avoir survécu — et d'abord à quoi, au juste? Nous ne sommes plus à l'époque de la guerre froide pour imaginer quelque explosion atomique.

— C'est vrai, nous avons maintenant le choix de nos peurs. Elles sont nombreuses et toutes sont fatales. C'est pourquoi, dans le conte, la nature de la catastrophe n'a pas besoin d'être précisée. Ce qui m'importe à moi — et à mon conte — c'est l'unique survivant.

— Tout cela est archi convenu, j'espère que vous le savez.

— Oui.

Je regarde le fleuve et Monsieur Alain qui, sur la droite, s'éloigne et va se perdre dans les derniers lambeaux de notre mémoire. Pourquoi faudrait-il s'interdire certains sujets, approches, manières de conclure ou propos, parce que d'autres y auraient eu recours auparavant? Je me tourne vers l'ami. La manière compte donc si peu?

Hélas, cette objection aussi, on l'a faite avant moi. Et d'une manière, en effet, bien plus achevée.

— D'ailleurs, votre dénouement est invraisemblable, poursuit mon juge, qui montre un esprit pratique en toutes circonstances. Les cafards prolifèrent en milieu urbain, humide et sombre. Nous sommes à la campagne, il fait un temps superbe, les jardins du Domaine Joly sont ouverts au public. Si nous remontons le sentier, nous croiserons des familles trimballant des paniers de victuailles, pour le pique-nique, nous entendrons des cris d'enfants, nous verrons des jardiniers au travail.

— Bon, admettons qu'il n'est pas vraisemblable. Mais ce n'est pas faute d'en avoir cherché un qui soit réaliste. C'est d'ailleurs pour cette raison que votre idée m'a plu. Revenir sur les lieux de notre première promenade, quand tout a commencé, revenir longtemps après, maintenant que les travaux de restauration sont terminés, que le Domaine Joly est un jardin public…

— D'autant que nous savons maintenant où nous sommes !

J'ai hoché la tête.

— C'est vrai. À l'époque, nous ne le savions pas, du moins pas au début.

Ce sont les fantômes qui nous ont tout expliqué.

Nous sommes redescendus sur la grève, là où le fleuve scintille. Avec le temps, le Nouveau Monde est presque devenu ancien. Il a ses grandes villes, un passé, des foules affairées. Ce qui ne m'empêche pas de poursuivre mon idée.

— Ce n'est pas la seule invraisemblance. Saviez-vous que le cafard du Nouveau Monde appartient à l'espèce dite *periplaneta americana* ? Dans le conte, je lui ai préféré la *blatella germanica*. Une espèce plus petite, dont certains spécimens voyageaient dans les cales des navires. De plus, l'insecte du conte, quand il sort à l'air libre, ne se trouve pas en Amérique. Il est à Augsbourg. Ou dans ce qu'il en reste, c'est-à-dire rien. Et dans les mois qui suivent, où qu'il aille sur le Vieux Continent, le cafard ne trouve rien. Pas même des ruines. Juste une terre caillouteuse d'où s'échappent de temps à autre des sifflements de forges usées. Et où il s'enfonce. Et un jour il tombe sur le dieu forgeron. Mais Héphaïstos ne frappe plus l'enclume. Il attend, prostré, et regarde mourir la braise. À quoi bon un bouclier ? Le bronze est l'alliage des hommes que lui, le dieu boiteux, aimait bien servir par son industrie. Vois ce qu'ils ont fait, mon pauvre cafard! Le dieu se désole. Le cafard ne peut rien faire pour lui, il remonte donc à la lumière.

Lumière éteinte. Soleil voilé. Tout est désolant. Le cafard ne craint pas pour sa survie, il sait qu'il s'adaptera. Depuis quatre cent millions d'années, il n'a pas agi autrement. Déjà il a avisé un fragment de brindille. Et du bouton durci de cette verdure, dont pas une chèvre ne voudrait, il fait maintenant un délice.

— À quoi un cafard occupe-t-il ses journées ?

— À explorer la surface du sol, à en tâter les creux et les replis. À tourner des antennes inquiètes vers la pluie qui ne vient pas.

— Votre cafard serait-il doué de raison ?

— Presque. Il le faut bien un peu, sinon quel rapport pourrait-il nous adresser depuis l'au-delà des hommes où je l'ai installé ? Alors il se met en chemin. Sa trajectoire ne peut pas être tout à fait désordonnée. Le conte exige qu'elle ait un but.

L'ami me jette un regard affectueux. Pythonisse de deux sous, murmure-t-il. En cet instant, je sais que nous sommes toujours bien ensemble, et que le temps n'y change rien. Un jour, le désir lui avait fait me réciter des vers de Nerval à l'oreille. Maintenant qu'entre nous le désir n'est plus, une paix s'installe, qui vaut bien tous ces chers aiguillons. Avec qui s'accouplera mon cafard solitaire ? Faudra-t-il lui donner une compagne ? N'est-ce pas aussi ce que réclamait le monstre à son créateur, le docteur Frankenstein ? En serais-je capable, moi qui n'ai pas créé le cafard, mais n'ai fait que constater sa présence en lui confiant un rôle ?

— Rôle que vous êtes bien la seule à connaître, si vous voulez mon avis, réplique mon compagnon.

Une fois de plus, j'ai réfléchi à voix haute. Ce n'est donc pas évident ? Lecteur, tu as déjà compris, toi, que, dans le conte, le cafard agit comme un réceptacle en raison même de son insignifiance. Il est indifférent à tout. Le jour de l'Arbre dans les écoles canadiennes l'indiffère, le front russe où progresse la Wermacht : même réaction. Tout au plus s'estime-t-il satisfait lorsqu'il n'inspire pas trop de dégoût aux humains. Comme il n'y a plus d'humains, il peut se croire sauvé, capable de donner sa pleine mesure et de faire de son insignifiance un atout. Le cafard n'est pas un animal de compagnie, il n'a pas de personnalité propre. Il n'est pas utile à l'homme, comme la poule ou la vache. Nul échange, dans le passé, entre l'homme et lui, c'était même plutôt la guerre, et pourtant le cafard n'a cessé d'être là. Il a tout vu, il sait tout, il survivra à tout. Voilà qui suffirait déjà à en faire un témoin privilégié. J'ai bien envie d'ajouter cette facette à son rôle. Ce qui me gêne, c'est la prémisse qui m'a fait décréter la disparition de l'humanité. C'est excessif. Car si l'humanité n'existe plus disparaissent aussi la distinction entre Vieux Monde et Nouveau. Et même si, me ravisant, j'atténue la portée de mon apocalypse et épargne le Nouveau Monde, qu'aurai-je gagné ? Le Vieux Monde ne peut pas disparaître. Ses liens avec le Nouveau sont consubstantiels. Que périsse l'Ancien, et le Nouveau aussi périra, son fleuve, ses grandes villes, ses musées de poche, dans des rues à l'écart, qui offrent de la fraîcheur et l'accueil gracieux d'une vieille dame, bénévole, quand midi brûle devant le kiosque à musique. À l'oubli destructeur, j'oppose donc l'imagination, la fantaisie, des invraisemblances, le caractère imprévisible du vivant, la curiosité de l'esprit, et je ne laisserai personne dire que ce sont là des armes dérisoires.

Avant de mourir, Zita a voulu laisser un testament politique. Elle s'est alors tournée vers les écrits du penseur politique Edmund Burke, contemporain de la Révolution française, et que tant d'amnésie triomphale effrayait. En bon whig, Burke croit à la tradition et aux enseignements de l'histoire lorsqu'il s'agit d'établir la forme que prendra le gouvernement des hommes, lequel ne saurait pour autant se réduire à des variations sur un seul modèle. « Un État où manquent les moyens de rien changer manque des moyens de se conserver », écrit-il un jour à son correspondant français, dans ses *Réflexions sur la révolution de France*. La pensée de Burke est si nuancée que chacun semble en mesure d'y trouver son compte, quelle que soit sa famille politique. Ce théoricien de la monarchie constitutionnelle, ce conservateur qui n'a rien d'un réactionnaire, prend parti pour les colonies américaines et les catholiques irlandais ; il sera récupéré par les légitimistes et cité par Hannah Arendt au moment de penser le totalitarisme. Comme quoi rien n'est simple. D'un mouvement d'antennes, le cafard approuve l'évidence. A-t-il vraiment le choix ? Henri-Gustave a raison : l'ignorance du conteur brouille tout. Le monde va. Il n'est pas vrai que tout passe.

Illustrations et photographies

Normand Poiré, photographies récentes du Domaine Joly :
couverture (recto et verso) et pages 1, 13, 14, 21, 25, 26, 31, 35,
37, 43, 44a, 51, 56, 60, 68, 78, 84, 85

Bibliothèque et Archives nationales du Québec :
page 4 : Henri-Gustave Joly de Lotbinière, vers 1890
page 5 : Henri-Gustave Joly de Lotbinière [s.d.]
page 16 : Pierre Gustave Gaspard Joly [s.d]
pages 60, 76 : cartes postales anciennes montrant les jardins de la
seigneurie

Bibliothèque du Congrès, Washington :
page 44 : L'impératrice Zita en 1914

Note

L'auteur remercie Jo Martin de lui avoir fait découvrir, avant qu'il ne devienne fantôme, *Histoire de la reine de Bohême et de ses sept châteaux*, et Solange Lévesque, de la lui avoir transmise. Passage, passeurs, passé.

DANS LA COLLECTION LIEU DIT

LES FANTÔMES DE LA POINTE-PLATON
a été composé en caractères Perpetua corps 11.5
et achevé d'imprimer par l'imprimerie Gauvin
le dixième jour du mois de décembre de l'an deux mille huit
pour le compte des Éditions du Noroît.

Direction littéraire
Paul Bélanger